Das Bananendiktat

C

Bernd-Artin Wessels

Das Bananendiktat

Plädoyer für einen freien Außenhandel Europas

Campus Verlag
Frankfurt/New York

Die Deutsche Bibliothek – CIP-Einheitsaufnahme

Wessels, Bernd-Artin:
Das Bananendiktat : Plädoyer für einen freien Aussenhandel
Europas / Bernd-Artin Wessels. – Frankfurt/Main ; New York :
Campus Verlag, 1995
ISBN 3-593-35276-1

Umschlaggestaltung: Atelier Warminski, Büdingen
Umschlagmotiv: Bananenstaude, Mauritius Bildagentur, Frankfurt am Main
Satz: Fotosatz L. Huhn, Maintal-Bischofsheim
Druck und Bindung: Druckhaus Beltz, Hemsbach
Gedruckt auf säurefreiem und chlorfrei gebleichtem Papier
Printed in Germany

Inhalt

Vorbemerkung

In der Nacht vom 12. zum 13. Februar 1993 wurde vom EG-Ministerrat in Brüssel eine Marktordnung für Bananen beschlossen. Sie trat am 1. Juli 1993 in Kraft und hatte schwerwiegende Folgen für die gesamte Fruchtbranche: Betriebe mußten aufgegeben werden, Arbeitsplätze gingen verloren, und die Verbraucherpreise stiegen. Durch die EU-Bürokratie wurde die »Festung Europa« weiter ausgebaut. Den Ländern Lateinamerikas ist die Möglichkeit genommen worden, ihre Ware in ausreichendem Umfang nach Europa zu exportieren. Arbeitslosigkeit und Devisenmangel sind dort die Folgen.

Von Anfang an war mir klar, daß diese Marktordnung den Grundsätzen des Rechtsstaates und des freien Handels zuwiderlief und aufgehoben werden mußte. Es entbrannte geradezu ein »Bananenkrieg«, dessen Schauplatz schon bald nicht nur auf Deutschland oder Europa beschränkt blieb. Die Vertreter des Fruchthandels wehrten sich gegen den EU-Protektionismus, gegen Administration und Dirigismus. Mit allen uns zur Verfügung stehenden legalen Mitteln kämpften wir für den Erhalt einer freien Marktwirtschaft*. Es war – und ist – ein steiniger und kostspieliger Weg, auf den wir uns begeben haben, und noch haben wir unser Ziel nicht erreicht: Noch ist die Bananenmarktordnung in Kraft, wenngleich jetzt die Europäische Union erste

---

* Juristische Unterstützung erhielten wir dabei von unseren Anwälten Dr. Erik A. Undritz, Hamburg, und Dr. Gerrit Schohe, Brüssel. Beide Anwälte gehören der Rechtsanwaltssozietät Feddersen Laule Scherzberg & Ohle Hansen Ewerwahn an.

Abmilderungen zu planen scheint, indem sie die Zugangsvoraussetzungen für Newcomerlizenzen erschwert. Zugleich wächst der Widerstand an allen Fronten, denn immer deutlicher offenbart sich, daß auch die vermeintlichen Gewinner zu den Verlierern gehören werden.

Mit diesem Buch möchte ich deutlich machen, daß die Politik der Brüsseler Bürokraten unserer wirtschaftlichen Kraft und unserer Wettbewerbsfähigkeit schweren Schaden zufügt. Die Bananenmarktordnung stellt dabei nur die Spitze des Eisbergs dar. Die Regelungswut in Brüssel kennt keine Tabus und keine Grenzen. Dem Bananendiktat folgt die Regulierung des Obst- und Gemüsehandels. Wettbewerbsfähigkeit aber entsteht nicht durch Abschottung, sondern nur durch den ständigen Konkurrenzdruck von außen. Die Europäische Union muß ihre Märkte öffnen und das Prinzip des freien Welthandels auf ihre Fahne schreiben. Wenn wir die Chance des Europäischen Binnenmarktes nutzen und unseren Wohlstand langfristig sichern wollen, müssen wir uns gegen Protektionismus und Dirigismus zur Wehr setzen.

Bernd-Artin Wessels

Ruhe vor dem Sturm

Langsam graut der Morgen über dem Strom herauf. Im diffusen Licht der aufgehenden Sonne lösen sich die Konturen der Hafenanlagen aus dem morgendlichen Nebel. Ein kühler Wind streicht über den Kai. Den Strom entlang schiebt sich, von Schleppern gezogen, der mächtige Schiffsbug der »Monte Rosa«. In der Ferne dröhnt das Horn eines aufkommenden Frachters. Von den Werften herüber hört man das Lärmen der Maschinen. Die Frühschicht auf dem Container-Terminal »Wilhelm Kaisen« in Bremerhaven hat ihre Arbeit aufgenommen.

An der Landungsbrücke vor mir liegt die »Fro Atlantik«: Durch die Walzenklüsen an der Back spannen sich drei Vorleinen und eine Springleine zu den Pollern. Die Fallreeps werden herabgelassen. Begleitet von lauten Warnsignalen wird eine Containerbrücke herangefahren. Der Brückenfahrer steuert den Spreader unter dem Ausleger über den Lukendeckel und öffnet ihn. Vormann und Ladungsoffizier beziehen an der Luke Stellung. Der Lademeister erteilt über Sprechfunk seine Anweisungen. Das Löschen der Ladung beginnt.

Tausende von Bananenkartons werden aus dem Schiffsbauch herausbefördert.

Kaianlagen und Umschlagsanlagen, riesige Kräne und Elevatoren, eine EDV-technisch gesteuerte Verteilungsanlage, Röllchenbahnen, automatische Palettierautomaten und vieles mehr an Technik sorgen dafür, daß wir pro Schicht 70 000 bis 80 000 Kartons löschen können. Zwei Wochen zuvor waren die exotischen Früchte, die bei uns zu einem Grundnahrungsmittel aufgestiegen sind, in Ecuador geerntet worden. Seitdem war der Reifeprozeß gestoppt. Er würde erst wieder in der Reiferei fortgesetzt werden. Bis dahin müssen die Früchte konstant kühl gehalten werden und dürfen keinen Augenblick lang der Sonne, dem Regen oder Frost ausgesetzt sein.

Eine unserer Reifereien befindet sich in unmittelbarer Nähe unserer Löschanlage. Ehemals hatte ein altes Kühlhaus an der Stelle gestanden, das aber schon lange nicht mehr genutzt wurde. Das Grundstück gehörte der Bundesregierung. Wir waren in Verhandlungen eingetreten, und es hatte sich herausgestellt, daß Bremen zwar ein Vorkaufsrecht besaß, daß aber auch Hamburg schon Optionen angemeldet hatte. Schließlich erreichten wir, daß der Bund dem Land Bremen das Grundstück überließ und Bremen es ohne zusätzlichen Barpreis an uns weitergab, sofern wir dafür nicht nur Arbeitsplätze erhielten, sondern auch neue schufen.

1991 fiel die Entscheidung: Zusammen mit einem ausländischen Partner, den wir zu 25 Prozent in die Gesellschaft aufnahmen, investierten wir 15 Millionen Mark und errichteten die erste europäische Zentralreiferei, wobei allein 5 Millionen Mark auf die technische Spezialausrüstung entfielen. Es handelte sich um ein Pilotprojekt, das von unseren Kunden sofort begeistert aufgenommen wurde. Das doppelte Handling im Inland zu vermeiden und dann gelbe Bananen direkt ab Hafen an unsere Kunden zu liefern erwies sich als vorteilhafte und beispielgebende Lösung. Zusätzlich errichteten wir eine Packstation und schufen 40 neue Arbeitsplätze.

Sobald die ersten Kartons in der Reiferei eintreffen, beginnt der Reifemeister mit der Überprüfung der Ware. Er öffnet einige Kartons und sticht ein Meßgerät in die grünen Früchte. Die Fleischtemperatur beträgt knapp 14 Grad. Das ist der Beweis, daß die Bananen den Seeweg ohne den für den Reifeprozeß erforderlichen Wärmesprung überstanden haben. Um sich zu vergewissern, daß die Früchte auf dem Schiff auch keinen Kälteschaden davongetragen haben, zieht er die Schale ab und prüft die Fasern an der Innenseite. Der Befund ist gut, und die Kartons werden auf die einzelnen Reifekammern verteilt, wo unter ständiger Aufsicht und Kontrolle die Ausreifung der Früchte erfolgt.

Bananen können nicht an der Staude reifen, sonst würden sie mehlig und matschig. Auch die Einheimischen kappen die Früchte in grünem Zustand und lassen sie im Schatten ihrer Häuser reif werden. Etwa fünf Tage nimmt der Reifeprozeß in Anspruch. Am dritten Tag setzt der Farbbruch ein. Die Stärke wandelt sich in Fruchtzucker, und das grüne Chlorophyll wird durch Karotin ersetzt. Die Haut verfärbt sich gelb. Am fünften Tag hat sich das Aroma voll entwickelt, und die Bananen können ausgeliefert werden. Leuchtend gelb mit grünen Spitzen kommen sie in den Handel.

Im Jahre 1991 verzehrte jeder Bundesbürger durchschnittlich 16,3 Kilogramm der krummen gelben Frucht, die von allen Obstsorten am meisten Eiweiß und Mineralstoffe wie Kalium, Magnesium, Eisen, Kupfer und Fluorid enthält und einen Kohlenhydratanteil von 23 Prozent aufweist. Damit liegen die Deutschen hinsichtlich des Pro-Kopf-Verbrauchs weltweit in der Spitzengruppe. Man kann also bei der Banane in der Tat von einem Grundnahrungsmittel sprechen. Ausgerechnet Bananen sollen auch die wirklichen Gewinner jener Wahl gewesen sein, mit der eigentlich Helmut Kohl als Doppel-Kanzler in die wiedervereinigte Geschichte unseres Landes eingehen wollte. Otto Schily von der SPD, im März 1990 nach einer plausiblen Erklärung für den Wahlerfolg Helmut Kohls gefragt, zog vor laufender Kamera eine Banane aus der Tiefe seiner Tasche. Die neu-deutsche gelbe Kultfrucht avancierte zur Wiedervereinigungsfrucht schlechthin, und die Bewohner der früheren DDR stürzten sich auf sie.

In der früheren DDR gehörten Bananen zu jenen seltenen Luxusgütern, die in den Geschäften so gut wie nie zu finden waren. Der Grund für diesen Mangel lag im System der staatlich gelenkten Wirtschaft, in der es keinen freien Markt gab und der

Außenhandel sich in den Händen des Staates befand. Ausschließlich der Staat bestimmte, was und wieviel importiert wurde. Die Folgen dieser Reglementierungen waren Versorgungsengpässe, Einschränkung der Vielfalt sowie eine drastische Qualitätsminderung. Das wirtschaftliche Desaster der früheren DDR, wie es sich nach der Wende offenbarte, zeigte deutlich, daß es überall dort, wo Angebot und Nachfrage der Regulierung des Marktes entzogen werden, zu Wachstums- und Beschäftigungsproblemen, Qualitätsverlusten und einer generellen Einschränkung der Lebensqualität kommt. So wurde die Banane für die Ostdeutschen zu einem Symbol der Freiheit, wie sie schon für die Westdeutschen nach dem Zweiten Weltkrieg zu einem Symbol der Freiheit geworden war.

An jenem Morgen im Hafen, als ich die eingetroffene Ware prüfte, dem Reifemeister bei seiner Arbeit zusah und verfolgte, wie sich die Kammern der Reiferei nach und nach füllten, ahnte ich nicht, daß ausgerechnet die Banane einem neuen Protektionismus zum Opfer fallen würde. Aus unserer neuerbauten Reiferei würde ein Abschreibungsprojekt werden, weil ihre Auslastung nicht mehr gewährleistet war und sie in Zukunft leerstehen würde wie auch andere unserer Reifekammern in Deutschland. Unsere neue Bananenlöschanlage im Rostocker Hafen würde den Betrieb einstellen müssen, und zahlreiche Großhandelsbetriebsstätten in den neuen Bundesländern würden wir schließen. Unsere Kühlschiff-Flotte würde dazu bestimmt sein, nur noch mit halber Ladung über die Meere zu fahren, und auch für unsere beiden im Bau befindlichen Kühlschiffe »Chiquita Rostock« und »Chiquita Bremen« würde kein Bedarf mehr vorhanden sein. Das Bananengeschäft, das etwa 30 Prozent unseres gesamten Umsatzvolumens einnahm und damit eine der tragenden Säulen unserer Unternehmensgruppe darstellte, würde künftig nicht mehr vom deutschen Markt, sondern von »höherer« Stelle aus Brüssel gesteuert werden.

Denn während in den ost- und mitteleuropäischen Ländern

die ersten Erfolge der Marktwirtschaft spürbar wurden, der Lebensstandard allmählich stieg und das Warenangebot zunahm, wurde von der Europäischen Gemeinschaft in Brüssel eben jene freie Marktwirtschaft, der wir über vierzig Jahre Wohlstand verdanken, rigoros beschnitten. Importquoten wurden festgelegt, wo vordem das Wechselspiel von Angebot und Nachfrage einen freien Markt garantiert hatte. Zölle wurden festgeschrieben, wo vordem Zollfreiheit die unternehmerische Phantasie beflügelt hatte. Mit dem Inkrafttreten der europäischen Bananenmarktordnung am 1. Juli 1993 hat Brüssel die Steuerung des Bananengeschäfts übernommen. Brüssel legt fest, wer befugt ist, Bananen zu importieren, und Brüssel setzt die Bananenpreise fest.

Für den Verbraucher wurden die Bananen teurer, den Importeuren, den Reedern, Spediteuren und dem Handel bescherten die Eingriffe Umsatzeinbußen, und in den Produzentenländern setzten sie die Existenz von 10 000 Kleinbauern und 200 000 Arbeitsplätzen aufs Spiel. Wie bei allen dirigistischen Eingriffen in das System des Wettbewerbs und des freien Handels lassen sich die negativen Auswirkungen weder auf eine einzelne Branche noch auf ein geographisches Gebiet begrenzen. Betroffen ist vielmehr die gesamte Weltwirtschaft, und so ist es auch nicht verwunderlich, wenn man Europa der Zerstörung des GATT-Abkommens beschuldigt. Wie der amerikanische Wirtschaftswissenschaftler Lester Thurow vom M.I.T. in Boston prognostizierte, wird die europäische Integration dem Welthandelsabkommen »den offiziellen Totenschein ausstellen«.

Doch dieses Szenario wäre mir an jenem Morgen nur wie eine phantastische Schreckensvision erschienen. Daß es nicht einmal ein Jahr dauern sollte, ehe diese Wirklichkeit war, hätte ich nicht für möglich gehalten. Es schien mir undenkbar, daß der Ministerrat in Brüssel sich ermächtigt fühlen könnte, aktive Wirtschaftspolitik für Europa zu betreiben. Wer hätte Brüssel das Mandat zu einem solchen Vorgehen erteilt?

Die »Fro Atlantik« hat ihre Ladung gelöscht und ist klar zum Ablegen. Kapitän, Erster Offizier, Rudergänger und Lotse haben auf der Brücke Stellung bezogen. Auf der Back steht der Zweite Offizier mit der Vor-Gang. Während der Deckschlosser das Ankerspill klarmacht, übernehmen die Schlepper vorn und achtern vom Schiff die Schlepperleinen. Die Festmacher am Kai werfen die Leinen von den Pollern los, und langsam tauen die Schlepper das Schiff vom Kai ab. Der Deckaufbau glänzt in der Sonne, als die »Fro Atlantik« das Hafenbecken verläßt.

Wir schreiben das Jahr 1992. Noch trennt uns über ein Jahr von jenem Datum, an dem Brüssel Europa zur dirigistischen Bananenfestung ausbaut. Noch scheint ein solcher Schritt abwendbar. Noch hält man den Geist des GATT* für stark genug, um den protektionistischen Kräften in Brüssel erfolgreich Widerstand entgegenzubringen.

* Zu den Grundanliegen des Welthandelsabkommens GATT (General Agreement on Tariffs and Trade), das 1947 beschlossen worden ist, gehören der Abbau von Handelsschranken und die Gleichbehandlung. Das GATT geht hierbei vom Gedanken des freien Welthandels aus und läßt Handelsbeschränkungen grundsätzlich nur in Form von Zöllen und zollgleichen Abgaben zu, da diese »tarifären« Beschränkungen am wenigsten handelsverzerrend wirken. Mengenmäßige Beschränkungen verbietet das GATT.

Blick zurück auf 25 Jahre freien Bananenhandel

Am 1. Oktober 1992 beging ich mein 25jähriges Dienstjubiläum. Vor 25 Jahren hatte ich im Finanzbereich der am 24. Juni 1902 von Gustav Scipio gegründeten und auf den Import und die Distribution von Obst und Gemüse sowie Südfrüchten konzentrierten *Scipio*-Gruppe meine Tätigkeit begonnen. Seitdem war ich in den Bereichen Marketing, Schiffahrt, Technik, Logistik, Finanzen, Vertrieb und Einkauf aktiv gewesen. Ich hatte mich mit Standortpolitik, Expansionsplänen sowie Vertriebsstrukturen beschäftigt, viele Erfahrungen gesammelt und diese wiederum in unserer Unternehmensgruppe umgesetzt, in die ich 1981 als persönlich haftender Gesellschafter aufgenommen wurde.

Bereits 1987, nach meiner Ernennung zum Sprecher der Geschäftsführung, begann ich mit der Reorganisation der Gruppe im In- und Ausland. Die Dezentralisierung der Verantwortung von Vertriebszweigen, die ich als grundlegende Voraussetzung für die Erhöhung der Motivation unserer Mitarbeiter ansah, setzte eine Regionalisierung voraus. In sechs bundesweit agierenden Gesellschaften, geführt als Profitcenters mit jeweils fünf bis acht Niederlassungen, wurde nunmehr das Fruchtgeschäft in Deutschland abgewickelt.

Auch wurde auf meine Initiative hin die *Atlanta AG* zur Wahrnehmung aller in- und ausländischen Aktivitäten der *Scipio*-Gruppe gegründet. Ziel dieser Gründung war es, die vertikale und horizontale Integration zu fördern, das heißt eine Unternehmensstruktur zu schaffen, die bei auftretenden Schwächen nicht wie ein Kartenhaus zusammenbrach, sondern Stützpfeiler im eigenen System hatte. Unter vertikaler Integration verstand ich die organisatorische, administrative, aber auch finanzielle Verflechtung der Nachstufe mit der Hauptstufe. Ich verband also vor- und nachgelagerte Funktionen mit der Hauptfunktion. Zur horizontalen Integration gehörte das Verschmelzen von Betrieben auf gleichgelagerter Ebene wie etwa die Verschmelzung mit Konkurrenzunternehmen auf der Distributionsebene, der Ebene des Imports und des Großhandels.

Ferner war es mir mit dieser Gründung darum zu tun, eine Haftungsbeschränkung einzuführen. Zuvor waren wir als persönlich haftende Gesellschafter in der *Benedict & Co.*, der Komplementärin der früheren *Scipio GmbH & Co.*, tätig gewesen und hatten demzufolge uneingeschränkt für alle Firmen der gesamten *Scipio*-Gruppe gehaftet. Diese Rechtsform sah ich nun angesichts der Ausweitung unserer Gruppe über die Grenzen Deutschlands hinaus als überholt an. Alleinige Gesellschafterin der *Atlanta AG* wurde die *Scipio GmbH & Co.*, die zwischenzeitlich ebenfalls von einer Kommanditgesellschaft mit einer oHG als Komplementärin zu einer doppelstöckigen Kommanditgesellschaft mit einer GmbH als Komplementärin umfunktioniert worden war.

Den Aufsichtsrat der *Atlanta AG* bildeten Dr. Horst Brandt, einer der Geschäftsführer der Brauerei *Beck & Co.* in Bremen, Dr. Horst Kessler, ein renommierter Steuerfachanwalt und Notar in Bremen, und Dr. Joachim Pfeffer, Sozius der Kölner Sozietät Prof. Deringer pp.*

Im operativen Bereich behielt ich mir jede Entscheidung hinsichtlich des Bananengeschäfts vor. In dem aus meiner Sicht sehr wichtigen Logistikbereich traf ich mit meinem Partner Dr. Uwe Mehrtens, der die Verantwortung für alle Logistikbetriebe unse-

* Seit 1994 gehören dem Aufsichtsrat der *Atlanta AG* an die Herren Dr. Brandt, Dr. Pfeffer und Jacobi (persönlich haftender Gesellschafter des Bankhauses *Trinkaus & Burkhardt KGaA* in Düsseldorf).

rer Gruppe übernommen hatte, die Regelung, daß er mir direkt berichtete. Dies betraf vor allem die Aktivitäten der Schiffahrts- und Speditionsgesellschaft *Meyer & Co.* in Bremerhaven, einer zum Konzern gehörenden hundertprozentigen Umschlagsgesellschaft für Bananen, mit der Bremerhaven der mengenmäßig größte Bananenumschlagshafen der Welt wurde.

Ferner begannen wir unter der *Union Kühlschiffahrt GmbH* auch wieder das Reedereigeschäft. Am 30. Oktober 1992 würden bei der zur Bremer Vulkan-Gruppe gehörenden *Schichau Seebeckwerft AG* zwei Kühlschiffe getauft werden. Sie waren 1990 von der *Great White Fleet Ltd.*, Cincinnati, Ohio, der Reederei der *United Brands (Chiquita)*, in Auftrag gegeben worden, und unsere Gruppe hielt daran einen Anteil von 12,5 Prozent. Susan Marion Ploughan, die Gattin des Präsidenten der *Great White Fleet*, würde dem einen Schiff den Namen »Chiquita Rostock« geben. Taufpatin des Schiffes »Chiquita Bremen« würde meine Frau Elke sein. Die beiden Schiffe, die ein Volumen von je zirka 570 000 Kubikfuß hatten, fassen 5200 Paletten mit je 48 Bananenkartons. Umgerechnet waren das etwa gut 50 Millionen Bananen.

Ich maß dem Bananengeschäft in Kombination mit der Logistik von Anfang an die größte Bedeutung bei. Der Aufsichtsrat schloß sich meiner Auffassung an, und unsere Gruppe, die 1908 die ersten Bananen importiert hatte, entwickelte sich zum weltweit größten Bananendistributeur. Wie richtig ich 1987/88 mit dieser Vorausschau noch in anderer Hinsicht gelegen hatte, sollte sich jedoch erst zu Beginn der 90er Jahre erweisen, als die Bananenmarktordnung am europäischen Horizont auftauchte.

Sogleich nach dem Zusammenbruch der sozialistischen Staaten Osteuropas forcierte ich die Ausweitung unserer Tätigkeiten auf die neuen Bundesländer und Osteuropa. Wir gründeten Niederlassungen in Ostdeutschland, bauten einen Fruchtumschlag in Rostock auf und entwickelten Aktivitäten in Polen, Ungarn, der Tschechoslowakei, in Rumänien, Bulgarien, der Ukraine und in Rußland. Da Europa für mich nicht etwa die

Europäische Gemeinschaft war, sondern darüber hinaus bis zum Ural reichte, wollte ich, daß sich dies auch in unserer strategischen Ausrichtung widerspiegelte. Tatsächlich verfügte unsere Gruppe 1992 über ein Netz von Niederlassungen, das die europäischen Länder von Portugal bis Rußland überspannte und sich nördlich bis nach Skandinavien zog.

Früher war unsere Gruppe Importeur gewesen. Heute sind wir darüber hinaus Transporteur zur See, per Flugzeug und auf dem Land, ferner Umschlagsgesellschaft, Kontrolleur und Lagerhalter. Wir sind flächendeckender Distributeur, Großhändler, Veredler sowie Systemlieferant des Lebensmittelhandels mit umfangreichen Serviceprogrammen. In Bremen und Bremerhaven belebten wir als integrierte, investitionsfreudige Gruppe durch unser direktes Engagement die Häfen, deren Umschlagseinrichtungen und die Verkehrsinfrastruktur.

Die wichtigste Erfahrung aber, die ich in diesen 25 Jahren erworben habe, war die, daß die Bedeutung der unternehmerischen Entscheidungsfreiheit nicht hoch genug eingeschätzt werden kann. Das gilt innerhalb der Struktur eines Unternehmens genauso wie innerhalb der Gesamtwirtschaft. Ein Unternehmertum, das die Freiheit hat, Gewinne zu erwirtschaften und Verantwortung zu tragen, entwickelt eine Eigendynamik und setzt Kräfte frei, die schließlich zur Belebung der gesamten Volkswirtschaft beitragen. Wie einzelne dirigistische Eingriffe einen gesamten Markt lahmlegen können, so vermögen auch einzelne unternehmerische Aktivitäten einen Markt zu beleben. Voraussetzung für einen solchen unternehmerischen Schub ist jedoch ein Wirtschaftssystem, das auf dem Prinzip der Rechtsstaatlichkeit gegründet ist und nicht von einer Obrigkeit gesteuert wird.

Spekulationen auf dem Bananenmarkt

Der Fruchthandel ist mehr als andere Branchen Veränderungen und Unwägbarkeiten unterworfen. Immer wieder wird der Agrarhandel durch Witterungseinflüsse beeinträchtigt. Diese zeigen mitunter saisonal so starke Auswirkungen, daß sich Warenströme innerhalb von Tagen oder Wochen entscheidend verändern. Wenn Schlechtwetterzonen oder Fröste im Golf von Mexiko über Texas nach Florida ziehen, kann dort für zwei oder drei Jahre die gesamte Zitrusproduktion ausfallen. Hurrikans in den Tropen lassen die Bananenexporte über Wochen oder sogar Monate hinweg schrumpfen. Hinzu kommen die besonderen Probleme der Logistik, die sich daraus ergeben, daß wir es mit einem organischen Produkt zu tun haben, das schnell verdirbt und nur unter speziellen Bedingungen und für begrenzte Zeit gelagert werden kann.

Zu diesen allgemeinen kaufmännischen Risiken, mit denen wir im Fruchthandel immer rechnen müssen, tauchte plötzlich zu Beginn der 90er Jahre ein ganz neuer Unsicherheitsfaktor auf: Am 1. Januar 1993 sollte der europäische Binnenmarkt, das Ziel der Römischen Verträge von 1957, Wirklichkeit werden. Das EG-Programm *Binnenmarkt 1993* war bereits 1985 durch ein Weißbuch entwickelt und danach zielstrebig umgesetzt worden. In vielen Bereichen mußten die EG-Mitgliedsländer sich auf einheitliche Regelungen und eine gemeinsame Linie einigen. Vor diesem Hintergrund verdichtete sich das Gerücht, daß man sich sowohl in Brüssel als auch in Bonn Gedanken über eine neue Marktordnung für den Agrarbereich mache. Erwin Stier, der für unsere *Atlanta*-Gruppe früher den PR-Bereich betreute und auch für die Kontakte nach Bonn zuständig war, informierte uns mehrfach über einschlägige Beratungen im Landwirtschaftsministerium und im EG-Agrarministerrat.

Gewiß hatten wir bereits in den vergangenen Jahren wiederholt unter staatlich festgelegten Referenzpreisen, die sich ständig veränderten, unter Abschöpfungsmaßnahmen und kurzfristigen Zollveränderungen zu leiden. In unseren Vertriebssitzungen, in denen unsere Vertriebsleitung die Warenschwerpunkte der kommenden Woche festlegte und Schiffsankünfte, Saisonanfänge, Witterungsauswirkungen und Marketingaktivitäten besprach, entbrannten stets heiße Diskussionen über derartige import- und verkaufshemmende Entscheidungen, die den Markt in Unordnung brachten.

Diesmal aber schienen die geplanten Eingriffe besonders folgenreich, da immer öfter auch von Bananen die Rede war. Sollte Brüssel tatsächlich eine Marktordnung für Bananen im Sinne haben? Wir glaubten zunächst nicht an eine solche Idee und hielten ihre Verwirklichung für völlig ausgeschlossen. Keiner der Wettbewerbsteilnehmer in Deutschland konnte ein Interesse an einer Bananenmarktordnung haben, die nichts anderes als Vermarktungsprobleme nach sich ziehen würde. Bereits Konrad Adenauer hatte nach heftiger Intervention der Bremer und Hamburger Importeure die Freiheit des Bananenhandels für Deutschland als so wichtig erachtet, daß er es durchsetzte, daß den Römischen Verträgen ein eigenes »Bananenprotokoll« hinzugefügt wurde.

Abgesehen von diesem Zusatzprotokoll hatte der Bananenhandel bei der Gründung der Europäischen Wirtschaftsgemeinschaft (EWG) kaum Berücksichtigung gefunden. Da sowohl die einzelnen Gründungsmitgliedsstaaten als auch die später hinzugekommenen Länder bei der Einfuhr und Vermarktung von Bananen zum Teil völlig konträre marktpolitische Zielsetzungen vertraten, hatten sich im Laufe der Jahre unterschiedliche Marktstrukturen entwickelt. Einige Mitgliedsstaaten wie Frankreich, Spanien, Portugal und Griechenland verfügen über eine eigene Bananenproduktion. Frankreich produziert in seinen überseeischen Departements Martinique und Guadeloupe Bananen, Spanien auf den Kanarischen Inseln, Portugal auf Madeira und in der Algarve und Griechenland auf Kreta.

Diese sogenannten EG-Bananen entsprechen wegen der schlechten klimatischen Bedingungen sowie der ungünstigen Sortenwahl nicht den Qualitätsansprüchen des Weltmarktes. Hinzu kommen die unwirtschaftlichen Anbaustrukturen. Auf den Kanarischen Inseln etwa muß das Wasser für die Bananenstauden teilweise aus tiefen Brunnenanlagen hochgepumpt werden. Die geringen Hektarerträge und hohen Anbaukosten führen dazu, daß die Gestehungspreise der EG-Bananen bis zu 100 Prozent über dem Weltmarktniveau liegen. Um die Vermarktung ihrer qualitativ schlechteren und zugleich teureren Eigenproduktion zu sichern, schotteten diese Länder ihre Märkte gegen Einfuhren aus Drittländern wie Lateinamerika ab. Diese wurden nur dann zugelassen, wenn die Eigenproduktion etwa infolge von Naturkatastrophen nicht zur Verfügung stand.

Portugal und Griechenland bedienten sich hierbei eines Auktions- und Lizenzverfahrens. In Spanien reichte die Bananenproduktion auf den Kanarischen Inseln in der Regel zur Deckung des heimischen Bedarfs. In Frankreich oblag die Steuerung des Bananengeschäfts dem *Comité Interprofessionel Bananier* (CIB). Das *Groupement d'Intérêts Economiques Bananiers* führte dann im Auftrag des CIB zusätzliche Mengen ein, wenn die eigene Produktion für die Versorgung nicht ausreichte. Durch diese Organisationen bestand eine äußerst enge Verzahnung zwischen den Produzenten, den Vermarktern auf dem Festland und der französischen Regierung, was zu einer strengen Marktsteuerung führte. So wurden monatlich nur bestimmte Vermarktungsmengen freigegeben. Infolge dieses dirigistischen Systems konnten die Vermarkter – natürlich auf Kosten der Verbraucher – nicht nur die hohen Gestehungspreise, sondern auch noch stattliche Profite erwirtschaften. Mußten zum Ausgleich einer Unterproduktion einmal Bananen aus Drittländern eingeführt werden, konnten diese problemlos auf den liberalen europäischen Märkten beschafft und dem heimischen Preisniveau entsprechend vermarktet werden. Die Differenz zwischen Einstands- und Abgabepreis führte dann noch zu erheblichen Sonderprofiten, die an das Finanzministerium abgeführt wurden.

Eine Reihe von EG-Staaten fühlte sich ihren ehemaligen Kolonien im afrikanischen, karibischen und pazifischen Raum verpflichtet. Dazu gehörten Frankreich mit der Republik Elfenbeinküste und Kamerun, aber auch Großbritannien mit Jamaika und den Windward Islands und Italien mit Somalia. Diese sogenannten AKP-Bananen entsprechen auch noch nicht dem Weltmarktstandard, wenngleich in den letzten Jahren erhebliche Anstrengungen unternommen wurden, um Anbauformen und Qualität zu verbessern. Um ihre Vermarktung zu sichern, mußten die Märkte daher ebenfalls geschützt werden.

In Frankreich wurden die Einfuhren von EG- und AKP-Bananen im Verhältnis zwei zu drei geteilt. Großbritannien reglementierte die Einfuhr von Bananen aus Drittländern durch ein strikt kontingentiertes Lizenzsystem. Importe aus Drittländern waren nur gestattet, wenn der heimische Bedarf nicht durch AKP-Bananen gedeckt werden konnte. Ähnliches galt für Italien, das sein Importkontingent für Einfuhren aus der Europäischen Gemeinschaft und den AKP-Staaten zwar 1974 aufgehoben hatte, Einfuhren aus Drittländern aber immer noch kontingentierte und an Lizenzen band.

In den übrigen EG-Mitgliedsstaaten, also in Belgien, Luxemburg, Dänemark, den Niederlanden, Irland und der Bundesrepublik Deutschland gab es keine derartigen Einschränkungen. Der Import von Bananen unterlag – mit Ausnahme für die Bundesrepublik Deutschland – grundsätzlich einem Wertzoll von 20 Prozent, was den internationalen Vereinbarungen entsprach. Diese Länder importierten daher fast ausschließlich sogenannte Drittlands- oder Dollarbananen aus den lateinamerikanischen Staaten Ecuador, Costa Rica, Panama, Kolumbien, Honduras, Nicaragua und Guatemala. In diesen Staaten, die bereits aufgrund ihrer geographischen und klimatischen Situation für den Bananenanbau beste Voraussetzungen aufweisen, war der Anbau seit Jahrzehnten, nicht zuletzt infolge des Wettbewerbsdrucks auf dem freien Weltmarkt, immer weiter verbessert worden. Die in diesen Ländern kultivierte Bananensorte *Cavendish* ist nicht nur qualitativ besser als die EG- oder AKP-Banane, sondern auch beträchtlich billiger. Das weitaus höhere Qualitätsniveau ist überwiegend auf die besonderen Anbaumethoden und die intensive Gartenpflege zurückzuführen.

Für Deutschland bestand eine Sonderregelung, die im sogenannten »Bananenprotokoll« festgehalten war. Bundeskanzler Konrad Adenauer setzte nicht nur große Hoffnungen in den Europagedanken, er war auch ein vehementer Verfechter der freien Marktwirtschaft. Erstritten wurde das »Bananenprotokoll« von Professor Alfred Müller-Armack, damals Staatssekretär im Bundeswirtschaftsministerium und Unterhändler der deutschen Regierung, der darin einen »Beitrag zur Hebung der Volksgesundheit« sah.

In einem Vortrag schilderte Professor Müller-Armack später die Unnachgiebigkeit seiner Haltung in Sachen Bananen:

»Als Leiter der deutschen Delegation habe ich damals bei der Position Bananen bis zuletzt Widerstand geleistet. Der vorgeschlagene Bananenzoll von 20 v. H. war errechnet worden nach der Addition von vier Zollsätzen, von denen drei gleich Null waren, während der 80 v. H. betragende italienische Zoll, der nur verständlich war als Schutz eines italienischen internen Bananenmonopols, den Ausschlag gab. 80 v. H. geteilt durch vier ergab eben diesen mir zu hoch erscheinenden Zollsatz, den ich nicht annahm [...] Daß ich ausgerechnet den Bananenzoll zum Gegenstand hartnäckigen Widerstandes machte, gab leichten Anlaß, die Sache ins Lustig-Lächerliche zu ziehen, und ein ›Ah, les bananes‹ war die Anrede, die ich mir von Spaak* und den anderen Delegationsleitern in der Folgezeit recht häufig anhören

---

* Paul-Henri Spaak war belgischer Außenminister.

mußte. Ich habe darauf heiter reagiert, aber meinen sachlichen Widerstand nicht aufgegeben, so daß nichts anderes übrigblieb, als in einer eilends zwischen der Pariser und der Römischen Konferenz eingeschobenen Besprechung mit Marjolin* in Bonn ein dem Vertrag beigefügtes besonderes Protokoll zu formulieren, das angesichts der verständigen Verhandlung Marjolins und auch unserer Bereitschaft, die Dinge zu einer beide Seiten befriedigenden Lösung zu bringen, zustande kam und als Annex in den Vertrag einging.«

Diese Lösung sah nun so aus, daß für die Bundesrepublik ein zollfreies Kontingent von 400 000 Tonnen Bananen jährlich bestimmt wurde. Bei einer Überschreitung dieses Kontingents durften Drittlandsbananen nur dann zollfrei importiert werden, wenn eine vollständige Deckung des Mehrbedarfs aus der EG-Produktion nicht möglich war.

Tatsächlich erhöhten sich die Bananeneinfuhren nach Deutschland seit Inkrafttreten des Protokolls ständig, so daß die im Protokoll festgesetzten Mengen stets überschritten wurden. Versuche der deutschen Bananenvermarkter, den Mehrbedarf aus der EG-Bananenerzeugung zu decken, scheiterten jedoch. Auf diesbezügliche Anfragen wurde den Vermarktern mitgeteilt, daß es nicht möglich sei, die benötigten Bananenmengen aus der EG-Produktion für eine Vermarktung in Deutschland zur Verfügung zu stellen. Daher konnten und mußten die deutschen Vermarkter vollständig auf lateinamerikanische Bananen zurückgreifen. EG-Bananen erlangten in Deutschland keinerlei Marktbedeutung.

Die unterschiedlichen Marktstrukturen zeigten natürlich auch erhebliche Auswirkungen auf den durchschnittlichen Pro-Kopf-Verbrauch und die Preisgestaltung. In den abgeschotteten Märkten lag der durchschnittliche Pro-Kopf-Verbrauch 1991 bei 8,3 Kilogramm, während er in den freien Märkten 13,8 Kilogramm erreichte. Dem stand im gleichen Jahr ein durchschnittlicher Einzelhandelsverkaufspreis von umgerechnet 4,28 Mark in Frankreich und 2,28 Mark in Deutschland gegenüber. Insge-

* Robert Ernest Marjolin war Vizepräsident der französischen Delegation.

samt wurden 1991 in der Europäischen Gemeinschaft rund 3,6 Millionen Tonnen Bananen vermarktet. Hiervon stammten rund 0,6 Millionen Tonnen aus der EG-Eigenproduktion, 0,6 Millionen Tonnen aus AKP-Staaten und 2,4 Millionen Tonnen aus Drittländern.

Unter dem Schutz der Zollschranken funktionierten diese unterschiedlichen Marktstrukturen und Einfuhrreglementierungen nebeneinander, ohne sich gegenseitig zu beeinflussen. Aber in einem einheitlichen Wirtschaftsraum konnten sie nicht aufrechterhalten werden. Zu erwarten war daher, daß die Europäische Gemeinschaft im Rahmen einer gemeinsamen Marktordnung die Einfuhr von Bananen aus Drittländern gemeinschaftsweit dem GATT-konformen Wertzoll von 20 Prozent unterwerfen würde. Dies hätte sowohl die Aufhebung der Einfuhrbeschränkungen für die bisher abgeschotteten Märkte als auch die Aufhebung des deutschen »Bananenprotokolls« bedeutet.

Zugleich könnte man durch gezielte Beihilfeleistungen versuchen, die EG-Bananenproduktion an das Weltniveau heranzuführen und bestehende Standortnachteile durch Ausgleichszahlungen zu kompensieren. Die hierfür erforderlichen Aufwendungen ließen sich zum einen aus Hilfsprogrammen wie Poseidom, Poseima und Poseican bestreiten, die für die Erzeugungsgebiete ohnehin bestanden; zum anderen könnte man auf die Einnahmen aus dem Außenzoll zurückgreifen, bei denen schon dadurch eine erhebliche Steigerung garantiert wäre, daß für Deutschland die Zollfreiheit wegfiele.

Ein solches Modell würde nicht nur die gewünschte Vereinheitlichung schaffen, sondern auch dem Ziel des Binnenmarktes entsprechen, als EG-weites Deregulierungs- und Liberalisierungsprogramm den europäischen Unternehmen neue Chancen zu eröffnen und Europas wirtschaftliche Position in der Welt zu stärken. Angestrebt wurde ja nicht nur der größere, sondern auch der freiere Markt.

Erste Warnungen verhallen ungehört

Während nahezu die gesamte Branche das Thema Bananenmarktordnung verdrängte und auch unsere Verbände und deren Berater sich meines Erachtens nicht intensiv genug damit auseinandersetzen wollten, wurde ich immer hellhöriger. Zwar habe auch ich es nicht für möglich gehalten, daß Brüssel sich einfach über das GATT-Abkommen hinwegsetzen und eine Bananenmarktordnung mit einer Quotierung der Bananeneinfuhren aus dem Dollarraum beschließen würde. Aber zugleich war mir nur zu gut bekannt, daß Frankreich und England die EG-Kommission beherrschten und gerade die EG-Landwirtschaftspolitik ganz auf deren Wünsche zugeschnitten war.

So wuchsen von Tag zu Tag meine Zweifel, ob die Gerüchte aus Brüssel nicht doch ernster waren, als ich wahrhaben wollte. Voll Sorge wandte ich mich an den Bundesverband Deutscher Fruchtunternehmer (BVF), der die Aufgabe hat, unsere Interessen zu vertreten. Ich drängte den Verbandsvorstand, Spezialisten und Rechtsvertreter zu engagieren, damit diese sich mit der bestehenden Rechtslage auseinandersetzten und die in Brüssel laufenden Beratungen verfolgten. Auch regte ich an, die Kontakte nach Bonn zu verstärken, um sicherzustellen, daß Landwirtschaftsminister Ignaz Kiechle in Brüssel wirklich in unserem Sinne agierte.

Meine Warnungen und Anregungen stießen jedoch auf Unverständnis und taube Ohren. Wohl teilte man meine Auffassung, daß eine Bananenmarktordnung auf alle Fälle verhindert werden müsse. Doch die Hinzuziehung von Rechtsvertretern erachtete man damals noch als überflüssig. Offenbar glaubte man, selbst Spezialist genug zu sein. Vor allem aber wollte man nicht noch einen Vertreter der Wirtschaft, wie zum Beispiel mich, in Bonn agieren sehen. Ich ließ mich so schnell nicht abwimmeln und unternahm zahlreiche Vorstöße. Aber stets versicherte mir der Verband seine Überzeugung, daß das Landwirtschaftsministerium alles im Griff habe und wir die zuständigen Beamten, an der Spitze Staatssekretär Walter Kittel und natürlich Landwirtschaftsminister Ignaz Kiechle, nicht verärgern dürften. Diese stünden voll auf unserer Seite und würden sich in Brüssel schon durchsetzen und eine Bananenmarktordnung zu verhindern wissen.

Ich traute dem Frieden nicht, und bei aller Wertschätzung unseres Verbandes, der schon 1988 auf die Gefahren einer Marktordnung für Bananen hingewiesen hatte, wurde ich das Gefühl nicht los, daß diese Herren unseren Bonner Politikern zu naiv vertrauten.

Meine besorgten Anfragen im Ministerium wurden stets mit den gleichen Beteuerungen beantwortet: Nachdrücklich betonte Staatssekretär Kittel, daß man zusammen mit den Beneluxstaaten und Dänemark eine harte Front aufgebaut habe. Damit sei die erforderliche blockierende Minderheit im Ministerrat gegeben, und ich brauche mir wirklich keine Gedanken zu machen.

Das war leichter gesagt als getan, denn die Vorstellungen, welche Auswirkungen eine Bananenmarktordnung auf den internationalen Fruchthandel und vor allem auf unser Unternehmen haben würde, beschäftigten mich Tag und Nacht. Ich wurde den Verdacht nicht los, daß alle Beteiligten die ganze Angelegenheit zu leicht nahmen. Innerhalb der Branche schien man sich Illusionen hinzugeben und die Schadensauswirkungen einer Bananenmarktordnung bei weitem zu unterschätzen.

Immer deutlicher erkannte ich, daß ich mich weder auf unseren Verband noch auf die Bundesregierung verlassen durfte. Denn während man sich in Deutschland von allen Seiten zu beruhigen suchte, sprachen die Meldungen aus Brüssel eine andere Sprache. Hartnäckig hielt sich das Gerücht, daß die EG-Kommission sich daranmachte, eine Quotenregelung für die Bananeneinfuhren aus dem Dollarraum auszuarbeiten. Ich mußte selbst aktiv werden und etwas unternehmen.

Unsere Wettbewerbsteilnehmer von der Unsinnigkeit einer Bananenmarktordnung zu überzeugen war nicht schwer. Keiner von ihnen wollte durch Marktregulative in seinen unternehmerischen Aktivitäten eingeschränkt werden. Schwieriger war es schon, sie zu einer gemeinsamen Aktion zu bewegen. Zunächst galt es, ihnen vor Augen zu führen, wie real die Gefahr einer Marktbeschränkung war und daß wir uns rechtzeitig dagegen zur Wehr setzen mußten.

Nach endlosen Briefwechseln und zahlreichen Telefonaten gelang es mir Anfang März 1992, insgesamt 38 europäische Bananenvermarkter zu einer konzertierten Aktion gegen die Errichtung eines Quotensystems für den Bananenimport aus Lateinamerika zu überreden. Unter der Federführung unserer *Atlanta AG* gründeten wir ein Komitee unabhängiger Bananenimporteure und -großhändler, die zusammen über 50 Prozent der aus Lateinamerika importierten Bananenmenge stellten.

Gemeinsam verfertigten wir eine Note an die Brüsseler Kommission. Darin legten wir zunächst die derzeitige Situation auf dem europäischen Bananenmarkt dar. Wir stellten fest, daß bislang sechs der zwölf EG-Staaten im Bananenimport praktisch weder durch eine Quote noch durch einen Gewichtszoll eingeschränkt würden, sondern bis auf die Bundesrepublik Deutschland lediglich ein 20prozentiger Wertzoll erhoben würde. Etwa die Hälfte aller Bananen und rund 75 Prozent der lateinamerikanischen Bananen, die in der Europäischen Gemeinschaft vermarktet würden, gingen in diese sechs Länder mit einem »freien Markt«. Der Bananenmarkt habe sich zu einem bedeutenden Faktor für Distributeure, Reifer und den gesamten Lebensmitteleinzelhandel bis hin zum Konsumenten entwickelt. Aber auch die übrigen sechs Länder, die der sogenannten AKP- oder nationalen Bananenproduktion eine Präferenz einräumten, würden noch beachtliche Mengen aus lateinamerikanischem Anbau importieren. Wir verwiesen darauf, daß von den 3,3 Millionen Tonnen Bananen, die 1990 in Europa konsumiert wurden, 2 Millionen Tonnen aus der Dollarzone stammten, wovon wiederum 1,3 Millionen Tonnen nach Deutschland gingen.

Durch die Errichtung eines Quotensystems, so mahnten wir, würde sich die Situation gründlich ändern, nicht nur für den Konsumenten, der dann mehr für die Früchte zahlen müsse, sondern auch für den internationalen Handel, dem ein profitables Geschäft entgehe. Wir schlugen vor, daß den lokalen Bananenlieferanten besser mit der Errichtung eines Zolles auf Dollarbananen geholfen werden könne. Diese Zolleinnahmen, bei denen es sich um einige hundert Millionen Mark handeln dürfte, könnten dann zur Unterstützung für die EG-Produzenten verwendet werden.

Um zu verhindern, daß diese Note im Dschungel der EG-Bürokratie still und heimlich verschwand, mußten so viele Menschen wie möglich von ihr Kenntnis erhalten. Anläßlich ihrer Übergabe organisierte ich daher ein großes Bananen-Happening in Brüssel. Die Vertreter der Presse waren geladen, und wir verteilten Bananen und Flugblätter an die Bevölkerung. Ähnliche Aktionen veranstaltete ich auch in verschiedenen Städten Deutschlands. Es war wichtig, daß die Verbraucher von den Vorgängen in Brüssel Kenntnis erhielten. Schließlich waren sie es, die den Preis einer Bananenmarktordnung zu zahlen hätten. Zölle und Kontingentierungen gehen immer auch zu Lasten der Verbraucher. Diese müssen sich mit einer geringeren Auswahl und Qualität begnügen und obendrein die höheren Preise bezahlen, die als Folge jeder Marktordnung auftreten. Und daß diese Marktordnung Wirklichkeit würde, das schwante mir immer mehr.

Es war nun kein Gerücht mehr, sondern eine bestätigte Wahrheit, daß die EG-Kommission in Brüssel den Auftrag erhalten hatte, ein Regelungsmodell für den Bananenimport nach Europa auszuarbeiten. Während wir in Hamburg, Bremen, Bonn, Frankfurt und München lautstark gegen eine Kontingentierung des Bananenimports protestierten, war in Brüssel bereits 1990 die Interdirektionale Arbeitsgruppe *Bananen* gebildet worden, die genau dies entwerfen sollte.

Konsul von Ecuador

Die Sorge über die Entwicklung in Brüssel und das Mißtrauen gegenüber unseren Bonner Vertretern, die sich für meine Begriffe mit zu wenig Nachdruck der Bananenproblematik annahmen, veranlaßten mich, im April 1992 ein Amt anzutreten, das bereits seit langem auf verschiedene Weise an mich herangetragen worden war: die Position eines Konsuls.

Mein Beruf und die damit verbundene gesellschaftliche Stellung brachten es mit sich, daß ich von verschiedenen Gremien, Institutionen, Regierungsvertretern und Organisationen immer wieder gebeten wurde, bestimmte Funktionen zu bekleiden. Zum Teil handelte es sich dabei um Tätigkeiten, die als besondere Ehre galten, wenn sie an eine in der Öffentlichkeit stehende Persönlichkeit herangetragen wurden. Auf der anderen Seite aber waren viele dieser Ämter mit sehr zeitaufwendigen Aufgaben verbunden, die manchmal gar nicht oder pauschal honoriert wurden. Es war mir also beim besten Willen nicht möglich, jedem Wunsch, der an mich herangetragen wurde, zu entsprechen. Dennoch hatte ich zu bestimmten Zeiten mehr als dreißig derartige Funktionen inne, zu denen auch Aufsichts- und Beiratsmandate zählten, Vorstandspositionen in Verbänden und Vereinen sowie Mitgliedschaften, zum Beispiel im Plenum der Handelskammer oder in Kuratorien aller Art.

Zu den Aufgaben, die ich bisher stets abgelehnt hatte, gehörte auch die Funktion eines Konsuls. Es waren in der Vergangenheit mehrere Anfragen, teilweise inoffizieller Art, aus Mali, Kenia, Mexiko und Guatemala erfolgt. Mit einigen dieser Länder hatten sogar wochenlange Unterredungen stattgefunden, wie das Konsulat ausgestattet werden sollte. Aber schließlich waren die Verhandlungen daran gescheitert, daß ich eine derartige Position nicht übernehmen wollte.

Eines Tages jedoch wurde über die Dresdner Bank eine Empfehlung an mich herangetragen, die mein Interesse weckte. Ecuador äußerte den Wunsch, in Bremen, dessen Häfen den wichtigsten Umschlagplatz für südamerikanische Bananen aller Marken darstellen, wieder durch ein Konsulat vertreten zu sein. Ecuador ist der weltweit größte Bananenexporteur, und wir sind der weltweit größte Bananendistributeur auf der Importseite. Das paßte zusammen. Es kam zu Gesprächen mit dem ecuadorianischen Botschafter in Bonn, und ich nahm die Empfehlung an.

Nachdem mir von der Regierung der Bundesrepublik Deutschland das Exequatur erteilt worden war und der Senat der Freien Hansestadt Bremen seine Zustimmung erteilt hatte, weht nun an Nationalfeiertagen die gelb-blau-rote Fahne Ecuadors auf unserem Haus. In meinem Zimmer steht eine kleine Flagge, und im Konsulatszimmer hängt ein großes Foto des Präsidenten Sixto Duran.

Wichtiger aber als diese Symbole war, daß ich auf dieser Seite des Atlantiks die Interessen Ecuadors in Sachen Bananen mit Nachdruck vertreten konnte. Ich sprach nun nicht nur als betroffener Importeur, sondern als konsularischer Vertreter eines Landes. Da in Bremen und Hamburg mehrere konsularische Vertretungen von Ländern Lateinamerikas ansässig sind und von Zeit zu Zeit Sitzungen des Konsularischen Korps stattfinden, eröffnete mir mein Amt darüber hinaus die Möglichkeit, die derzeitige Sachlage zu kommentieren und meine Kollegen zu kritischer Beobachtung der Entwicklung der europäischen Politik zu animieren. Wie richtig mein Entschluß war, dieses ehrenvolle, doch auch arbeitsintensive Amt zu übernehmen, sollte sich in seiner vollen Tragweite allerdings erst zu einem späteren Zeitpunkt zeigen.

Die Brüsseler Bürokratie setzt sich in Bewegung

Im Mai 1992 schloß die Interdirektionale Arbeitsgruppe *Bananen* in Brüssel ihre Arbeit ab. Ihre Ergebnisse legte sie am 16. Juni 1992 der EG-Kommission vor.

Die Arbeitsgruppe faßte in ihrem Dokument zunächst die Problematik des Bananenimports zusammen: Sie legte dar, daß die EG-Bananenerzeugung strukturbedingt unwirtschaftlich sei und dies auch in Zukunft bleiben werde. Es sei auszuschließen, daß deren Wettbewerbsnachteile durch den GATT-konformen Außen-Wertzoll von 20 Prozent kompensiert werden könnten, da die Produktion auf Regionen konzentriert sei, die ohnehin strukturschwach und auf Hilfsprogramme angewiesen seien.

Hinsichtlich der AKP-Bananenerzeugung nannte die Arbeitsgruppe im wesentlichen dieselben Nachteile, verwies aber darauf, daß der AKP-Bananenerzeugung aufgrund der durch die Lomé-Abkommen* festgeschriebenen EG-Zusagen ein Präferenzzugang zu den Märkten der Europäischen Gemeinschaft gewährt werden müsse, und zwar unter Aufrechterhaltung aller bislang erworbenen Vorteile.

Die Drittlands-Bananenerzeugung bezeichnete die Arbeitsgruppe als lebenswichtigen Bestandteil der lateinamerikanischen Volkswirtschaften und betonte, daß diese nicht ohne Dekonsolidierungsverhandlungen mit einem anderen als dem

---

* Die Lomé-Abkommen sind Vertragswerke, die nach dem Unterzeichnungsort benannt worden sind und in denen seit 1975 (»Lomé I«) die entwicklungspolitischen Maßnahmen zwischen der EG und den sogenannten AKP-Staaten festgelegt werden.

GATT-konformen Wertzoll von 20 Prozent belegt, also nur einer GATT-konformen gemeinsamen Einfuhrregelung der Europäischen Gemeinschaft unterworfen werden dürfe.

In dem Bestreben, eine »phantasievolle« Lösung zu erzielen, entwarf die Arbeitsgruppe dann ein höchst kompliziertes und kaum zu praktizierendes Regelungsmodell: Es sah für die sogenannten traditionellen AKP-Bananen eine zollfreie Einfuhr vor entsprechend ihrem bisherigen Produktionsvolumen; Einfuhren aus Drittländern sowie »nicht-traditionelle« AKP-Einfuhren sollten oberhalb ihres bisherigen Produktionsvolumens durch ein festzulegendes Kontingent beschränkt werden. Zur Importkontrolle schlug die Arbeitsgruppe vor, die Einfuhren an Lizenzen zu binden. Diese Einfuhrlizenzen sollten den Marktbeteiligten entsprechend ihrem Vermarktungsvolumen während eines Referenzzeitraums zugeteilt werden. Darüber hinaus sprach sich die Arbeitsgruppe für eine Aufteilung des Drittlands-Einfuhrkontingents in einen GATT-konformen Teil und ein sogenanntes autonomes, GATT-dekonsolidiertes Teilkontingent aus. Für den GATT-konformen Teil sollte der Wertzoll von 20 Prozent gelten, während Drittlands-Einfuhrlizenzen aus dem autonomen Kontingent an die Verpflichtung zur Vermarktung von EG- und AKP-Bananen gebunden werden sollten. Die Arbeitsgruppe bezeichnete dies als »Partnerschaftsmodell«.

In der anschließenden Diskussion wurde, abgesehen von den zu erwartenden Schwierigkeiten bei der Erfassung, Festsetzung und Zuteilung der Referenz- und Lizenzmengen, insbesondere die Konstruktion des »Partnerschaftsmodells« kritisiert. Auch die Arbeitsgruppe hatte die Einführung eines »autonomen Kontingents« als problematisch angesehen und daher in ihrem Dokument festgehalten: »Bei der Einführung eines solchen Mechanismus müßte berücksichtigt werden, daß alle Einführer Zugang zu den EWG- und AKP-Bananen erhalten müssen.«

Nicht zuletzt aufgrund entsprechender negativer Erfahrungen wiesen die Kritiker darauf hin, daß die Vermarktungskanäle für EG- und AKP-Bananen seit Jahrzehnten verfestigt und in vielen Fällen langfristigen Exklusivbelieferungsverträgen unterworfen seien. Es bestehe daher für bisherige Vermarkter von Drittlandsbananen keine Möglichkeit, Zugriff auf EG- oder AKP-Einfuhren und damit wiederum auf Drittlands-Einfuhrlizenzen aus dem »autonomen Kontingent« zu erhalten. Zum anderen wurde moniert, daß die beabsichtigte Bindung der Lizenzverteilung an die Vermarktung von EG- und AKP-Bananen ein unzulässiges Kopplungsgeschäft darstelle und somit rechtswidrig sei. Dieser Einschätzung schloß sich auch der Juristische Dienst der Kommission an.

Trotz der kritischen Stimmen in der Sitzung der EG-Kommission am 16. Juni und obwohl der Juristische Dienst der Kommission die Bindung der Lizenzverteilung an die Vermarktung von EG- und AKP-Bananen als rechtswidriges Kopplungsgeschäft bezeichnet hatte, reagierte die Kommission darauf in keiner Weise. Unter Hinweis auf den unmittelbar bevorstehenden Wegfall der Zollschranken am 31. Dezember 1992 führte sie den Regelungsentwurf der Arbeitsgruppe mit allem Nachdruck und in weitgehend unveränderter Form in das Rechtsetzungsverfahren ein und legte ihn am 7. August 1992 dem Europäischen Parlament vor.

Enttäuscht von Ignaz Kiechle

In Bremen bereitete man sich unterdessen auf die im Herbst 1992 stattfindenden Wahlen zur Neubildung des Senats vor. Bremen war seit langem hoch verschuldet, und manche hatten das Gefühl, daß die Alleinherrschaft der SPD zu keinem guten Ende führen werde und die Sozialdemokraten in der Regierung abgelöst werden müßten. Die CDU in Bremen machte sich also daran, ihrem Bürgermeisterkandidaten Ulrich Nölle ein mögliches CDU-Kabinett zusammenzustellen. Auch ich als Parteiloser wurde dazu aufgefordert, dieser Kernmannschaft anzugehören, um, wenn die CDU die Wahlen gewinnen sollte, das Amt des Senators für Wirtschaft, Außenhandel und Technologie zu übernehmen.

Ich wurde zunächst parteiloses Mitglied des Bremer Landesvorstandes des Wirtschaftsrates der CDU und trat schließlich der CDU als Mitglied bei.

In dieser Funktion fand ich im Spätsommer 1992 Gelegenheit zu einem persönlichen Gespräch mit Bundeslandwirtschaftsminister Ignaz Kiechle. Der CDU-Wirtschaftsrat hatte Kiechle zu einer Veranstaltung im Bremer Park-Hotel als Referenten eingeladen. In seinem Vortrag ging Kiechle unter anderem auf die Problematik der Subventionen ein. Bei der anschließenden Diskussion fragte ich ihn, wieviel Prozent der Subventionen denn in die Landwirtschaft gingen. Seine Antwort lautete präzise: »Fünf Prozent.« Auf meine weitere Frage, wieviel die deutsche Landwirtschaft zum Bruttoinlandsprodukt beitrage, erklärte Kiechle, daß dies etwas unter zwei Prozent seien.

Für mich war nicht logisch nachzuvollziehen, warum ein Wirtschaftszweig, der nur 1,3 bis 1,7 oder bestenfalls 2 Prozent zum Bruttoinlandsprodukt beisteuert, Subventionen in Höhe von 5 Prozent erhalten sollte. Mit einem gewissen Zynismus in der Stimme erklärte Kiechle daraufhin, daß man die Subventionen natürlich auch ganz streichen könne und es dann überhaupt keinen Beitrag der deutschen Landwirtschaft zum Bruttoinlandsprodukt mehr gebe.

Es war in jenem Kreis nicht angebracht, die Diskussion an diesem Punkt weiter zu vertiefen. Aber bei mir verfestigte sich der Gedanke, daß eine solche Subventionspolitik dem Bürger nicht die optimalen Vorteile brachte. Andererseits war mir natürlich bekannt, daß es der deutschen Landwirtschaft nicht besonders gutging und die deutschen Bauern in aller Regel Kiechles Partei wählen würden. Auch Kiechle wußte das, und er mußte bei seiner Subventionspolitik daher auch an die Stimmen denken, die bei der nächsten Wahl zur Verteilung standen. Daß das Säckel, aus dem die Subventionen in Brüssel verteilt wurden, von den deutschen Steuerzahlern aufgefüllt werden mußte, brauchte ihn in politischer Hinsicht nicht so sehr zu interessieren. Hauptsache war, beim deutschen Wähler den Eindruck zu erwecken, daß die deutsche Seite möglichst viel davon abbekam.

Nach dem offiziellen Teil der Veranstaltung nahm ich mit Minister Kiechle und seinem Sekretär im Kuppelsaal des Hotels das Abendessen ein. Im Verlauf der Unterhaltung erläuterte ich dem Landwirtschaftsminister, welcher Schaden für Deutschland aus der Bananenmarktordnung entstehe. Kiechle erklärte mir, daß er sich der Nachteile einer solchen Verordnung bewußt sei, daß man aber bei Paketlösungen notfalls auch die Banane mit in die Waagschale werfen müsse.

In diesem Augenblick wurde mir klar, daß die Bundesregierung die Bananenfrage zuungunsten Deutschlands und der deutschen Konsumenten sowie zum Nachteil Lateinamerikas lösen würde, wenn bei der Paketlösung Subventionen auf dem Agrarsektor zum Beispiel auch an die deutschen Weinbauern und in andere Landwirtschaftszweige fließen würden. Bereits seit Jahren betrieb Landwirtschaftsminister Kiechle auf EG-Ebene eine Politik der Mengensteuerung anstatt Preisreduzierung. Auch in den GATT-Verhandlungen der Uruguay-Runde* hatte er sich dagegen gewandt, die EG-Landwirtschaft »praktisch ohne Außenschutz den Launen des Weltmarktes auszusetzen«. Gewiß würde er nun im Fall der Bananenmarktordnung nicht mit einem Mal seine Grundsätze über Bord werfen und für einen freien Welthandel ohne Reglementierungen eintreten. Dazu sah er vor allem gegenüber Frankreich viel zu sehr seine Hände gebunden.

Ich stellte plötzlich fest, daß die Vertreter unserer Regierung bereit waren, die Bananenimporteure, den Bananenhandel und die Konsumenten in Deutschland eine bittere Pille schlucken zu lassen, wenn nur das Verhältnis zwischen Deutschland und Frankreich oder zwischen den Spitzen der Bundesregierung und der französischen Regierung erhalten bliebe. Ich mochte nicht so weit gehen anzunehmen, daß dabei der deutsch-französische Freundschaftsvertrag eine Rolle spielte.

Für mich stand fest, daß ein solcher Landwirtschaftsminister unsere Interessen nicht optimal vertreten werde. Dasselbe galt für Staatssekretär Walter Kittel, der sich in Brüssel genausowenig durchzusetzen vermochte wie sein Minister. Ich teilte dies dann auch meinen Kollegen im Wirtschaftsrat mit. Frankreich verfügte in Brüssel nicht nur über eine viel bessere Lobby, sondern war auch in seiner Zielrichtung viel klarer. Der Sozialist Jacques Delors, der die volle Unterstützung des französischen Staatspräsidenten genoß, wußte genau, was er auf europäischer Ebene für sein Land erreichen wollte.

Die Stimmenverteilung im EG-Ministerrat sah so aus, daß Deutschland zehn Stimmen hatte, Dänemark drei, die Nieder-

---

* Die sogenannte Uruguay-Runde hatte im September 1986 in Punta del Este begonnen und sollte 1994 zum Abschluß gebracht werden. In ihr war die bislang umfangreichste Welthandelsordnung erarbeitet worden.

lande fünf, Luxemburg zwei, Belgien fünf, Frankreich zehn, Großbritannien zehn, Portugal fünf, Italien zehn, Irland drei, Spanien acht und Griechenland fünf. Um die Bananenmarktordnung zu Fall zu bringen, brauchten wir von diesen 76 möglichen Stimmen lediglich 23. Damit wäre die Sperrminorität erreicht. Diese 23 Stimmen könnten unsere deutschen Vertreter leicht zusammenbringen, wenn sie nur mit den Beneluxstaaten und Dänemark einen Konsens fanden.

Ehe Minister Kiechle wieder seinen Hubschrauber nach Bonn bestieg, versicherte ich ihm, daß ich alles tun würde, um die Bananenmarktordnung zu verhindern. Was ich vom ersten Warnsignal aus Brüssel an hätte machen sollen, nämlich die gesamte Branche zu Protestaktionen zu animieren, das wollte ich jetzt mit ganzer Kraft nachholen. Nach der Begegnung mit Kiechle war ich nicht mehr bereit, der vorsichtigen und rücksichtsvollen Linie des Verbandes zu folgen. Ich war fest davon überzeugt, daß Deutschland in Brüssel »verkauft« würde.

Der Kampf beginnt

Von nun an ließ ich keine Gelegenheit aus, in Sachen Bananenmarktordnung rigoros Flagge zu zeigen. Jeden öffentlichen Auftritt, jede Rede vor Vertretern der Wirtschaft, Politik oder Presse nutzte ich, um das Thema Bananen aufs Tapet zu bringen.

Ich kann meine Aufgabe als freier Unternehmer nur erfüllen, wenn die entsprechenden Rahmenbedingungen dies zulassen. Wenn der Markt durch Handelshemmnisse und Reglementierungen eingeengt wird, dann ist es nicht mehr möglich, unternehmerische Entscheidungen zu fällen. Der Unternehmer wird zum Ausführenden degradiert. Er trägt zwar noch das unternehmerische Risiko und muß für seine Verluste einstehen, aber entschieden wird von Politikern. Wir durften nicht hinnehmen, daß es soweit kam.

Eine willkommene Gelegenheit, jungen Menschen, die kurz davor standen, wichtige Aufgaben in der Wirtschaft zu übernehmen, die Wichtigkeit eines freien Handels ans Herz zu legen, bot sich mir gleich zu Beginn des Herbstes. Nachdem ich selbst einmal an der Deutschen Außenhandels- und Verkehrsakademie in Bremen ein viersemestriges Studium mit Schwerpunkt Außenhandel absolviert hatte, erhielt ich nun als Mitglied des Plenums der Handelskammer die Aufgabe, die Teilnehmer des Sommersemesters zu verabschieden.

Das Thema meines Vortrages lautete: *Mögliche Auswirkungen einer Brüsseler Idee auf Außenhandel, Verkehr und die Freiheit der Unternehmensentscheidung – dargestellt am Bei-*

spiel eines kleinen Agrarproduktes. Dieses kleine Agrarprodukt war natürlich die Banane, und ich zog dieses aktuelle Beispiel heran, um den jungen Absolventen deutlich zu machen, welche Wirkungen dirigistische Eingriffe in den Markt auf den Welthandel, das Unternehmertum und die Verbraucher haben können.

Ich begann mit der Schilderung der Schaffung des Gemeinsamen Binnenmarktes, an deren Schwelle wir nun standen, sowie dem Vertrag von Maastricht über die Europäische Union und umriß die allgemeine Problematik, die mit der Schaffung von Wirtschaftsblöcken verbunden ist. Insbesondere warf ich die Frage auf, ob der schrittweise durchzuführende Harmonisierungsprozeß der Zielsetzung des EG-Vertrages entsprach und nicht mit den GATT-Regeln kollidiere. Ich verwies auf die Ankündigung des damaligen GATT-Generalsekretärs Arthur Dunkel, der auch das Abkommen zwischen den Vereinigten Staaten, Kanada und Mexiko über die Bildung einer Nordamerikanischen Freihandelszone (NAFTA) auf seine Vereinbarkeit mit dem GATT prüfen wollte. Der damalige japanische Minister für Internationalen Handel und Industrie, Kozo Watanabe, hatte sich nämlich besorgt darüber geäußert, daß mit dem Abkommen möglicherweise im Januar 1994 ein freier Markt zwischen den Vereinigten Staaten, Kanada und Mexiko geschaffen werde, der sich dann anderen Ländern verschließe.

Ich betonte, daß die Schaffung von Wirtschaftsblöcken auf internationaler Ebene stets mit kritischem Auge gesehen werde und berechtigte Zweifel bestünden, ob Handelsblöcke tatsächlich mehr Freihandel oder nicht eher Abschottung bedeuteten. Wirtschaftsblöcke würden nun einmal die Gefahr in sich bergen, sich gegenüber anderen etwas zurückhaltender zu zeigen, Präferenzen zu gewähren oder zu verweigern, den Protektionismus zu unterstützen, die Bürokratie zu vergrößern, Handelshemmnisse zu schaffen und damit die Ausweitung des freien Welthandels zu behindern.

Ich wollte deutlich machen, daß selbst geringe Eingriffe in

das Marktgeschehen niemals auf eine Branche oder ein Land beschränkt blieben, sondern stets übergreifende Auswirkungen hätten. So kam ich auf die geplante Bananenmarktordnung zu sprechen, die zu einer Teilenteignung eines Teils der Wirtschaft führen und nicht nur die Verbraucher in Deutschland, Holland, Belgien, Luxemburg und Dänemark schädigen würde, sondern auch die Länder Lateinamerikas, die vom Bananenexport abhängig waren. Ich legte dar, welch weitreichende supranationale Auswirkungen eine scheinbar unbedeutende politische Entscheidung nach sich ziehen kann.

Konnte ein endlich freies Europa dem Dirigismus solchen Vorschub leisten? Durften sich einige wenige Länder derartige Vorteile zum Nachteil aller übrigen verschaffen?

In der folgenden Zeit fand ich noch viele Anlässe, diese Fragen in Vorträgen und Diskussionen zu erörtern. Dabei stellte sich heraus, daß der vielgefeierte Gemeinsame Binnenmarkt zwar das erklärte Ziel hatte, den Handel innerhalb der Europäischen Union zu erleichtern, den Handel nach außen aber immer stärker reglementierte. Nicht nur die Fruchthändler, sondern auch die Unternehmer anderer Branchen würden durch Handelshemmnisse, die den freien Warenverkehr behinderten, zu leiden haben.

Im Grunde hätten wir alle gegen die Pläne und Entscheidungen von Brüssel protestieren müssen. Tatsächlich aber stellte es bereits ein Problem dar, Allianzen in der eigenen Branche zu bilden. Das lag zum einen daran, daß die am Handel mit Bananen Interessierten in Deutschland auf den verschiedenen Vermarktungsstufen stehen, unterschiedliche Interessen verfolgen und es sowohl Kunden-Lieferanten-Verhältnisse als auch nationale wie internationale und außereuropäische Verbindungen gibt. Zum anderen vertrauten viele immer noch auf unsere Politiker in Bonn, die eine solche Marktordnung gewiß verhindern würden. Warum sollte man jetzt schon die Pferde scheu machen, wo doch in Brüssel noch gar nichts entschieden sei?

Auch ich fühlte mich hin- und hergerissen, aber ich wußte,

daß wir keine Zeit verlieren durften. War eine Bananenmarktordnung erst einmal da, wäre es zu spät, sich Gedanken zu machen, was wir tun sollten. Wir mußten uns jetzt überlegen, welche Möglichkeiten uns offenstanden und welchen Weg wir gehen wollten.

Als Branchenführer sah ich es als meine Aufgabe an, die anderen Importeure, Reifer und Großhändler immer wieder an einen Tisch zu holen. In langen Diskussionen berieten wir, welche Maßnahmen zu ergreifen waren, falls sich der Ministerrat in Brüssel für eine Bananenmarktordnung entscheiden sollte. Ich ließ eine voraussichtliche Schadensbilanz erstellen und beauftragte einen Verfassungsrechtler, den Kommissionsentwurf auf seine verfassungsrechtliche Konformität zu prüfen.

Im Zuge dieser Vorbereitungen verfestigte sich bei mir immer mehr die Idee, daß ich gegen eine Marktordnung für Bananen klagen würde. Ich ließ meine Absicht auch gegenüber der Presse verlauten, um meine Entschlossenheit zu beweisen.

Wochen quälender Ungewißheit

Weihnachten 1992 stand vor der Tür. Aber ich konnte mich in diesem Jahr weder so richtig auf das Fest freuen noch die Vorweihnachtszeit unbekümmert genießen. Während ich sonst um diese Zeit geschäftlich darum bemüht war, möglichst viel Zitrusware und Trockenfrüchte zu vermarkten, und mich privat damit befaßte, Geschenke auszuwählen und einen Tannenbaum zu besorgen, wurde diesmal die Freude an all diesen Tätigkeiten von der Ungewißheit überschattet, wie der EG-Ministerrat in Sachen Bananen entscheiden würde.

Sollte es tatsächlich zum Beschluß einer Bananenmarktordnung kommen? Welche Konsequenzen würden sich dann für unsere Firma, die Gesellschafter, unsere Mitarbeiter, meine Familie und mich daraus ergeben? Was würde aus unseren Geschäftsverbindungen werden?

Am meisten beschäftigte mich die Frage der Lizenzen: Die Arbeitsgruppe hatte vorgeschlagen, den Import von Drittlandsbananen zu kontingentieren und an Lizenzen zu binden. Würden wir genügend Lizenzen erhalten, um unsere Kapazitäten auszulasten, oder drohte uns ein Abgleiten in die Verlustzone, weil unsere Liquidität zu stark beansprucht würde? Sollte der Ministerrat das Modell der Kommission übernehmen, dann war fraglich, ob wir überhaupt noch frei würden agieren können.

Es war gewiß kein Zufall, daß die Sitzung des Ministerrates ausgerechnet am 17. Dezember 1992, eine Woche vor Weihnachten, stattfand, nachdem das Europäische Parlament am 15. Dezember seine Stellungnahme abgegeben hatte. Vielmehr stellte die Wahl dieses Termins einen klugen Schachzug all jener Ministerialen und Bürokraten dar, die in Brüssel eine Bananenmarktordnung durchsetzen wollten. Da bereits an den Vortagen diverse Vorbesprechungen und Konferenzen stattgefunden hatten und der Sitzungsbeginn für den späten Nachmittag anberaumt war, konnten sie damit rechnen, daß ihre Ministerkollegen aus den anderen Ländern im Laufe des Abends bald müde sein würden. Auch wollte jeder gern das Weihnachtsfest zu Hause feiern und möglichst rasch den Weihnachtsurlaub antreten. Unter diesen Bedingungen würde es wohl nicht schwerfallen, den Widerstand der Gegner zu brechen.

Die Terminierung der Sitzung offenbarte also bereits eine kluge Verhandlungstaktik, vor allem seitens des Vorsitzenden, des britischen Agrarministers John Selwyn Gummer. Dieser wußte, daß seine Amtsperiode als Vorsitzender des Ministerrates am 31. Dezember 1992 turnusmäßig ablaufen würde, und er setzte alles daran, diejenigen, die ihn in seiner Heimat diffamiert, bedrängt und unter Druck gesetzt hatten, nicht zu enttäuschen. Sie sollten weiterhin die Vorteile aus Protektionismus und Subventionismus genießen. Sollten die Briten diese Bananenmarktordnung nicht bekommen, dann wären die am Bananengeschäft beteiligten britischen Firmen einer Konkurrenz ausgesetzt, die ihre Gewinne schmelzen lassen würde. Das wußte Minister Gummer, auch wenn er möglicherweise die Intrigen, die mit der Schaffung der Entwürfe für eine Bananenmarktordnung verbunden waren, nicht durchblickte. Doch es ist müßig, über all die Hintergründe zu spekulieren.

Die vergangenen Monate hatte ich alle Hände voll damit zu tun gehabt, mich immer wieder mit der Bananenfrage auseinanderzusetzen. Ich hatte Vorträge gehalten und Interviews gegeben, war in öffentlichen Diskussionen aufgetreten und hatte mich mit Fachleuten und Rechtsanwälten beraten. Aber jetzt gab es für mich nichts mehr zu tun. Ich konnte nur noch warten.

Es war ein Donnerstag, der Tag, an dem der Wochenpreis für Bananen gemacht wurde. Abends um zehn Uhr war die Sitzung in Brüssel immer noch in vollem Gange. Mit Erwin Stier, der mittlerweile Bevollmächtigter des Bundesverbandes für den Fruchthandel geworden war, hatte ich vereinbart, daß er mich über alle wichtigen Ereignisse auf dem laufenden halten würde. Es ging bereits auf zwei Uhr morgens zu, als bei mir das Telefon klingelte und ich über die Entscheidung in Brüssel informiert wurde: Der Ministerrat hatte mehrheitlich die Bananenmarktordnung beschlossen.

Wie hatte es zu dieser Entscheidung kommen können? Es stellte sich heraus, daß das von der EG-Kommission vorgeschlagene Regelungsmodell zunächst tatsächlich nicht die erforderliche Mehrheit hatte auf sich vereinen können, weil Deutschland, Dänemark, Belgien und die Niederlande opponierten.

Schließlich brachte der Vorsitzende John Gummer einen Kompromißvorschlag ein: Der bis dahin geforderte GATT-konforme Außenzoll wurde ersatzlos aufgegeben, statt dessen sollte von Gewichtszöllen ausgegangen werden. Hinsichtlich des Zugriffs der EG- und AKP-Bananenvermarkter auf Drittlandsbananen enthielt der Vorschlag keine definitive Aussage. Es hieß dort lediglich: »Introduction of a scheme to distribute licences giving access to the reduced-duty tariff quota and ensuring compliance with obligation towards Community and ACP-producers.«

Dennoch soll es nach Aussage Gummers aufgrund dieses Vorschlags gelungen sein, Belgien zur Zustimmmung zu bewegen und dadurch die Sperrminorität zu überwinden. Da wir 23 Stimmen brauchten, um im Ministerrat eine Entscheidung zu blockieren, fehlten uns nach dem Umfallen Belgiens 5 Stimmen. So konnte eine Grundsatzentscheidung zugunsten der Bananenmarktordnung gefällt werden.

Es wollte mir nicht in den Kopf, warum sich Belgien so entschieden haben sollte. Dieses Verhalten war nur durch ein sogenanntes Paketangebot zu erklären, das dem Land Vergünstigungen auf anderen Gebieten zusicherte und das ihm außerhalb der offiziellen Konferenzen und Verhandlungen unterbreitet worden sein mußte. Es würde wohl nicht möglich sein, die Wahrheit herauszufinden, denn alle Meldungen zu diesem Punkt waren widersprüchlich, und man fragte sich, wie viele Falschmeldungen wohl bewußt und gezielt verbreitet wurden.

Auf jeden Fall beschloß der Ministerrat mehrheitlich, daß mit Wirkung vom 1. Juli 1993, also sechs Monate nach Inkrafttreten des Gemeinsamen Binnenmarktes, eine Marktordnung den Bananenhandel in der Europäischen Gemeinschaft regeln sollte. Dieser Beschluß war gegen die Stimmen Deutschlands gefaßt worden, und damit hatten Landwirtschaftsminister Ignaz Kiechle und sein Staatssekretär Walter Kittel und mit ihnen die gesamte Bundesregierung eine Niederlage erlitten. Unsere politischen Vertreter waren nicht stark genug, im Vorfeld in Brüssel eine Allianz zu gründen. Vielleicht wollten sie aber auch nicht. Immerhin wußte ich ja von Kiechle, daß er bereit war, die Bananenfrage notfalls mit in den Topf zu werfen, wenn es darum ging, Paketlösungen zugunsten der deutschen Agrarwirtschaft zu schaffen.

Auch hatte die deutsche Seite offenbar nicht erkannt, daß der von Gummer eingebrachte »Kompromißvorschlag« Linien enthielt, die unweigerlich die Existenz der deutschen Bananenimporteure gefährden würden. Das Regelungsmodell der Kommission sah vor, die Einfuhr von Drittlandsbananen auf 2 Millionen Tonnen jährlich zu begrenzen, was eine Reduzierung des Vorjahrsvolumens auf 80 Prozent darstellte. Von diesen 80 Prozent sollten 66,5 Prozent auf die traditionellen Importeure von Drittlandsbananen entfallen, 30 Prozent den EG- und AKP-Bananenimporteuren zugeschlagen werden und 3,5 Prozent Newcomern zur Verfügung stehen, die ins Bananengeschäft einsteigen wollten.

Gemäß Gummers Vorschlag aber würde es nicht bei den 30 Prozent bleiben. Absatz 4 von Gummers Vorschlag besagte nämlich, daß die Lizenzen jedes Jahr auf der Basis der jeweils vergangenen drei Jahre im Verhältnis 66,5 zu 30 zu 3,5 neu aufgeteilt werden sollten. Das bedeutete, daß den traditionellen

Importeuren von Drittlandsbananen von Jahr zu Jahr mehr Importlizenzen entzogen würden, die den Engländern und Franzosen zugute kämen. Auf diese Weise würden die deutschen Importeure nach zehn Jahren nur noch etwa 10 Prozent ihrer bisherigen Mengen importieren können.

Wenn auch zu bezweifeln war, daß dieser Vorschlag Gummers jemals Wirklichkeit würde, offenbarte er doch deutlich die Absicht, die hinter dieser Bananenmarktordnung steckte: Es ging allein darum, zum einen die angeblich wegen ihrer hohen Kosten und schlechten Qualität auf einem freien Markt nicht konkurrenzfähigen EG- und AKP-Bananen zu schützen, zum anderen aber die Interessen der Importeure gerade dieser Bananen noch besser als bisher zu befriedigen.

Der Countdown läuft

Nach durchwachter Nacht begann ich den Freitag zunächst mit einer »Krisensitzung« in unserem Hause. Wir mußten uns Klarheit darüber verschaffen, was die Brüsseler Entscheidung für unser Unternehmen und seine Mitarbeiter bedeutete. Zusammen mit meinen Vorstandskollegen und leitenden Mitarbeitern diskutierten wir die Konsequenzen, die eintreten würden, wenn unsere Importmenge auf gut die Hälfte gekürzt und unsere Anlagen nur noch zur Hälfte genützt würden.

Das Bananengeschäft erfordert sehr aufwendige technische Anlagen und damit umfangreiche Investitionen. Es weist daher einen hohen Fixkostenanteil auf. Unsere Anlagen können nur rentabel arbeiten, wenn sie voll ausgelastet sind. Bereits eine Mengenreduzierung um 20 Prozent, wie sie durch die Kontingentierung zu erwarten war, würde den Gemeinkostenanteil pro Packstück in die Höhe treiben. Zusätzlich aber sollten die deutschen Importmengen ja nochmals um 27 Prozent der Ursprungsmenge gekürzt werden, weil auf die traditionellen Vermarkter von Drittlandsbananen nur 66,5 Prozent des Kontingents entfallen würden. Unter diesen Bedingungen war eine Rentabilität unserer Anlagen nicht mehr gewährleistet.

Es war klar, daß wir alles tun mußten, damit diese Marktordnung gar nicht erst in Kraft trat. Die nächste Sitzung des Ministerrates war für den 12. Februar 1993 anberaumt.

Noch im Dezember 1992 faßte ich den Entschluß, eine Klage vor dem Europäischen Gerichtshof anzustrengen. Ich hatte mir bereits zu Beginn des Herbstes vorgenommen, gegen eine Bananenmarktordnung zu klagen, und ich war zuversichtlich, daß es mir gelingen würde, meine Mitbewerber dazu zu bewegen, sich dieser Klage anzuschließen. Ich beauftragte zusammen mit einigen anderen Importeuren also eine renommierte Anwaltskanzlei in Hamburg mit der Ausarbeitung einer Klagschrift. Die Kanzlei unterhält auch eine Niederlassung in Brüssel und zeigte sich sofort bereit, den Fall zu übernehmen. Wir informierten den deutschen Bananenhandel über diesen Schritt und forderten die anderen Bananenhändler auf, sich der Klage anzuschließen. Bereits am 5. Januar 1993 wollten wir in Hamburg zusammentreffen und alle weiteren Schritte beraten.

Daß auch die anderen am Handel mit Bananen beteiligten europäischen Firmen begonnen hatten, sich mit der Entscheidung in Brüssel auseinanderzusetzen, erschien mir in diesem Zusammenhang sehr wichtig. Ich begrüßte es daher sehr, daß die inzwischen gegründete *European Community Banana Trade Association* (E.C.B.T.A.) mit Sitz in Brüssel ebenfalls ein Treffen anberaumte. Zwar war von diesem Verband kein bedeutsamer Widerstand gegen eine Bananenmarktordnung zu erwarten, denn schließlich sollte diese Assoziation alle Interessen des Bananenhandels vertreten, also auch die der Franzosen, der Engländer und der Spanier. Gleichwohl war es sinnvoll, Firmen wie *Pacific Fruit Company Italy, Comafrica* aus Italien, *Bananic International* aus Belgien, die *Fruchthansa* aus Köln, *Chiquita Banana Company* und *Velleman & Tas* aus den Niederlanden, *Spiers N. V.* aus Belgien und *Léon von Parijs* dabeizuhaben. Stülcken, Theede, Van den Brink, van Meerveld, Weichert, Wesslowski, Osinga, Jacobse und andere Persönlichkeiten, die im Fruchthandel in Europa allgemein bekannt sind, saßen an einem Tisch, hörten einander zu, kommentierten, stimmten zu und gingen wieder auseinander. Ein solcher Gedankenaustausch konnte sehr aufschlußreich sein. Letztlich aber blieb es natürlich die Aufgabe jedes einzelnen, in seinem Verband und bei seiner Regierung immer wieder vorstellig zu werden.

Nachdem ich selbst beschlossen hatte, Klage zu erheben,

drängte ich auch die Bundesregierung in Bonn, Klage vor dem Europäischen Gerichtshof zu erheben. Diese Bananenmarktordnung verstieß so deutlich gegen das Prinzip der Rechtsstaatlichkeit und des GATT, daß sie von der Bundesregierung nicht einfach hingenommen werden konnte. Vor Einreichung der Klage gab es mit dem Verband mehrere Sitzungen, so daß alle unsere Argumente in die Klage mit einfließen konnten.

Vor allem aber war es wieder wichtig, die Öffentlichkeit zu aktivieren und sie davon in Kenntnis zu setzen, was die Brüsseler Entscheidung für sie bedeutete. Würde diese Bananenmarktordnung nämlich tatsächlich Wirklichkeit werden, dann würden die Preise für Bananen erheblich ansteigen.

Unter der Überschrift *Die Auswirkungen des Bananenstreits sind nicht durchdacht und nicht erkannt worden: Ein Skandal!* veröffentlichte ich bundesweit eine Mitteilung. Darin hieß es:

»Das Recht, Bananen aus dem ›Dollar‹-Raum zollfrei in die Bundesrepublik Deutschland einzuführen, wurde unter Adenauer durchgesetzt und ist Gegenstand des Bananenprotokolls, das integrierter Bestandteil des EWG-Vertrages ist. Ein Recht, das seit 1957 für Deutschland verbrieft ist und das man nicht einfach beiseite schieben kann. Es hat völkerrechtliche und EG-rechtliche Geltung.

Dies indessen scheint die Brüsseler Akteure nur wenig zu interessieren, denn das, was dort von der Kommission dem Ministerrat vorgelegt wurde und zu einer mehrheitlich ›politischen‹ Meinung führte, gegen das Votum unter anderem von Deutschland, spottet jeder Beschreibung, denn es ist unrealistisch, einseitig, Unrecht und schädlich in jeder Richtung: Verbraucher, Handel, Gemeinschaftsdenken, Transport, Welthandel, GATT-Verhandlungen, Freiheit, Drogenanbau und politische Stabilität in den lateinamerikanischen Ländern, abgesehen von nicht gewünschtem Lizenzsystem und Kontingenten.

Die Verlierer sind insoweit die Deutschen, aber wir geben nicht auf!

Warum hat sich die deutsche Vertretung nicht durchsetzen können? War es zu wenig Sachverstand? Hat man sich zu blauäugig auf die Franzosen verlassen? Sicherlich nicht nur dies allein. War es zu wenig Durchsetzungsvermögen? Das darf man wohl sagen; denn offensichtlich war es der deutschen Regierung und der deutschen Vertretung nicht möglich, die Vertreter anderer EG-Mitgliedsländer von der deutschen Haltung zu überzeugen. So etwas nennt man schlicht Niederlage. Eine Niederlage, die verheerende Auswirkungen haben kann, wenn sie sich denn in der Praxis so bewahrheiten würde. Dies wiederum würde sich als Katastrophe auswirken für den traditionellen Bananenhandel.

Es ergeben sich deshalb für gute Demokraten mit Rechtsempfinden zwei Fragen, an deren Beantwortung hart gearbeitet werden muß, bevor man an die Detailarbeit geht, zu der auch die Zielsetzung – politisch, wirtschaftlich, europäisch und aus Welthandelssicht – gehört. Die Zielsetzung ist für mich, für den deutschen Handel, für die lateinamerikanischen Produzenten klar definiert: Freiheit und Gerechtigkeit, um es knapp und verständlich für alle zu machen. Dabei geht es schon längst nicht mehr um die Zollfrage allein, sondern um die erwähnten beiden Kernfragen:

1. Ist es richtig, daß das, was unter Adenauer aufgebaut wurde und 35 Jahre lang Bestand hatte, jetzt von Bonn unter Anleitung (oder unter Druck) von Brüssel zerschlagen werden soll?
2. Dürfen wir es zulassen, daß aus der Addition einzelner Rechtsstaaten tendenziell und partiell eine Unrechtsgemeinschaft wird?

Natürlich darf man beide Fragen heute nur mit ›Nein‹ beantworten. Oder? Man sollte darüber diskutieren, um wirklich sicher zu sein, bevor die Antwort auf den Tisch gelegt wird und bevor eine endgültige Entscheidung getroffen werden soll. Sonst entstehen Fehler, die nicht wiedergutzumachen sind.«

Der Text erschien in vielen Zeitungen und löste heftige Diskussionen aus. Ich hatte erreicht, was ich erreichen wollte. Die Bananenmarktordnung war zu einem Thema geworden, das nicht nur in Fachkreisen oder von Insidern erörtert wurde, sondern das in aller Öffentlichkeit für Aufregung sorgte und die Gemüter erhitzte.

Ein Hoffnungsschimmer am Horizont

Ehe der Ministerrat im Februar 1993 wieder zusammenkam, um weiter über die Bananenmarktordnung zu beraten, tauchte ein Hoffnungsschimmer am Horizont auf. Unterdessen waren nämlich auch die lateinamerikanischen Länder hellhörig und aktiv geworden. Mitte Januar forderte der Präsident von Ecuador, einem der weltweit bedeutendsten Produktionsländer von Bananen, die Europäische Gemeinschaft auf, die geplanten Beschränkungen für den Bananenimport zurückzunehmen.

Es gab keinen Zweifel, daß eine Bananenmarktordnung den Grundsätzen des GATT zuwiderlief. Zu den Grundanliegen des Welthandelsabkommens GATT gehören der Abbau von Handelsschranken und die Gleichbehandlung.

Zwischen den einzelnen GATT-Mitgliedern besteht der Grundsatz der Meistbegünstigung, das heißt, daß jeder aufgrund zwei- oder mehrseitiger Verhandlungen gewährte Handelsvorteil unmittelbar und bedingungslos allen GATT-Vertragspartnern eingeräumt werden muß. Ausnahmen gelten nur gegenüber Entwicklungsländern. Darüber hinaus sind alle GATT-Mitgliedsstaaten gehalten, Verhandlungen mit dem Ziel von Zollsenkungen zu führen.

Am 28. Januar 1993 forderten Costa Rica, Kolumbien, Venezuela, Nicaragua und Guatemala die Europäische Gemeinschaft zu Verhandlungen auf. Diese vorrangig von der EG-Bananenverordnung betroffenen Länder folgten damit dem ersten Schritt, den das Streitschlichtungsverfahren, das sich seit der Gründung des GATT entwickelt hatte, vorsah.

Für diese Staaten würden die EG-Marktordnung für Bananen und die darin festgelegte Reduzierung der EG-Importmenge an Drittlandsbananen schwerwiegende Folgen haben: Große Anbauflächen, die unter erheblichem Aufwand kultiviert worden waren, würden wieder stillgelegt und ertragreiche Plantagen gerodet werden müssen.

Während die Europäische Gemeinschaft für ihre eigenen Bananenerzeuger Ausgleichszahlungen in erheblicher Höhe bereitstellte, würden die lateinamerikanischen Erzeuger leer ausgehen. Ihre ohnehin hohe Arbeitslosenquote würde weiter steigen. Diese Länder erwirtschafteten bislang 50 Prozent ihrer Außenhandelserlöse mit dem Bananenexport. Eine Reduzierung der Einkünfte aus diesem Wirtschaftszweig könnte die politische Stabilität dieser Länder gefährden.

Die Europäische Gemeinschaft allerdings wies die Verhandlungsaufforderung der lateinamerikanischen Staaten mit dem Hinweis zurück, daß in der Sitzung des EG-Ministerrates am 17. Dezember 1992 lediglich eine Grundsatzentscheidung zugunsten der Marktordnung gefallen sei und hierin noch keine »Maßnahme« im Sinne der GATT-Regeln zu sehen sei, über die inhaltlich verhandelt werden könne. Dennoch sah ich in dem Auftreten der lateinamerikanischen Länder ein wichtiges Zeichen, denn es bewies mir, daß man die Vorgänge in Brüssel auf internationaler Ebene mit wachem Auge verfolgte und die Europäische Gemeinschaft nicht einfach agieren ließ, wie sie wollte.

Auch in Bonn wehte unterdessen ein anderer Wind. Im Rahmen einer Kabinettsumbildung zu Beginn des Jahres hatte Jochen Borchert Ignaz Kiechle im Amt des Landwirtschaftsministers abgelöst. Nachfolger von Staatssekretär Walter Kittel, der seinen Posten räumen mußte, war der bisherige Abteilungsleiter im Bundeskanzleramt, Franz-Josef Feiter, geworden. Dieser Wechsel stimmte mich hoffnungsvoll, und Jochen Borchert enttäuschte mich nicht, als er am 11. Februar 1993 im Bundestag eine Rede zur Bananenmarktordnung hielt.

Am Dienstag, dem 9. Februar, und am Mittwoch, dem 10. Februar, hatte der Ministerrat in Brüssel begonnen, die sogenannte Formalisierung des Ratsbeschlusses über die EG-Bananenregelung vom 17. Dezember 1992 zu beraten. Es hatte jedoch keine Einigung erzielt werden können, und so war die Sitzung Mittwoch nacht unterbrochen worden, um am Freitag fortgesetzt zu werden. Am Tag zuvor informierte Jochen Borchert den Bundestag über den aktuellen Stand der Verhandlungen.

Er beklagte zunächst, daß sich die Verhandlungen über eine künftige europäische Bananenregelung wegen der einander entgegenstehenden Interessen, die es in einer europäischen Regelung in Einklang zu bringen gelte, von Anfang an schwierig gestaltet hätten. Gleichzeitig betonte er jedoch, daß er sowohl im Rat als auch in zahlreichen weiteren Gesprächen mit dänischen Repräsentanten, mit Agrarkommissar René Steichen sowie mit anderen Kollegen aus dem Rat die Haltung der Bundesrepublik unmißverständlich deutlich gemacht habe. »Sie wissen«, sagte Borchert, »daß diese Haltung der Bundesregierung schon im Entstehungsstadium eines EG-Kommissionsvorschlages von der Bundesregierung, insbesondere auch vom Bundeskanzler, in einem persönlichen Schreiben an Kommissionspräsident Delors dargestellt worden ist. Das Bundeskanzleramt hat zuletzt in der Kabinettssitzung am 17. Dezember 1992 die Haltung bestätigt.«

Minister Borchert versprach, daß die Bundesregierung diese Haltung bei den weiteren Verhandlungen mit Nachdruck vertreten werde. Er unterstrich, daß die Einfuhrregelung von Bananen aus dem Dollarraum GATT-konform sein müsse und die Lieferinteressen der lateinamerikanischen Länder nicht beeinträchtigen dürfe. Das bisherige Liefervolumen von zirka 2,4 Millionen Tonnen müsse daher aufrechterhalten werden und entsprechend dem Verbrauchszuwachs gesteigert werden können.

Zugleich dürften die Importmengen nur mit dem im GATT gebundenen Zoll von 20 Prozent belastet werden. Auch über das Kontingent hinausgehende Importe dürften nicht mit einem prohibitiven Zoll von 850 ECU pro Tonne belegt werden, was einem Zollsatz von 170 bis 180 Prozent entspreche. Wie Borchert ausführte, wäre nach dem in der Uruguay-Runde anstehenden Tarifizierungsmodell allenfalls ein Zoll von 50 bis 70 Prozent denkbar, der aber innerhalb von sechs Jahren wieder weitgehend abzubauen sei. Mit einer derartigen Einfuhrregelung könnten sich nach Einschätzung Borcherts die lateinamerikanischen Entwicklungsländer abfinden. Er teilte mit, daß diese Länder am Vortag bereits Beschwerde beim GATT gegen die bestehenden Einfuhrbeschränkungen Frankreichs, Großbritanniens und Spaniens eingelegt hätten. Bliebe es bei dem derzeitigen Kompromiß, würde auch die Uruguay-Runde Gefahr laufen, auf den Bananenschalen auszurutschen.

Der Minister forderte, daß der Verteilungsschlüssel für das Zollkontingent die bestehenden Handelsströme berücksichtigen müsse und nicht zu einer Benachteiligung der Dollar-Bananenhändler führen dürfe. »Nach dem Dezember-Kompromiß wurde das Handelsvolumen der Dollar-Bananenhändler halbiert!« betonte der Minister und fuhr nach dieser Feststellung unzweideutig fort:

»Wir, das heißt die Bundesregierung, lehnen diese Verteilung ab. Sie ist eindeutig diskriminierend und damit vertragswidrig. Wir haben vorgeschlagen, den traditionellen Importeuren 90 Prozent des Kontingents zuzuteilen und 10 Prozent für EG- und AKP-Händler beziehungsweise Newcomer bereitzustellen.

Die Bundesregierung war sich der schwierigen Situation in den EG- und AKP-Anbaugebieten stets bewußt und ist auch bereit, hier zu helfen, etwa durch eine Verbesserung von Produktion, Qualität und Marketing. Die Bundesregierung hat sich auch bereit erklärt, für eine Übergangszeit direkten Einkommenshilfen zuzustimmen. Bleibt es bei dem restriktiven Dezember-Beschluß, sind derartige Hilfen und die damit verbundenen EG-Ausgaben nicht zu rechtfertigen.«

Die Haltung, die Borchert im Bundestag einnahm und offiziell als die Haltung der Bundesregierung bezeichnete, ließ vermuten, daß die deutsche Seite sich entweder in der Ministerratssitzung am folgenden Tag durchsetzen oder es ihr zumindest gelingen werde, eine Allianz zu finden.

Hoffnung schöpfte ich auch aus der Tatsache, daß der britische Agrarminister John Gummer den Ministerratsvorsitz unterdessen an den dänischen Agrarminister Björn Westh abgegeben hatte. Dieser mußte auf unserer Seite stehen, denn Dänemark hatte an einer protektionistischen Bevorzugung von EG- und AKP-Bananen kein Interesse.

Brüssel hat entschieden

An jenem Freitag, an dem in Brüssel die zweite und diesmal endgültige Entscheidung zur Bananenmarktordnung gefällt wurde, fand im Festsaal des Alten Bremer Rathauses die alljährliche Schaffermahlzeit statt. Diese Einrichtung, die weit über Bremen hinaus bekannt und berühmt ist, reicht in ihrer Geschichte zurück bis ins 16. Jahrhundert. 1545 schlossen sich die Bremer Schiffer zu einer Genossenschaft unter dem Namen *Die arme Seefahrt* zusammen, deren Ziel es war, die Mitglieder und deren Hinterbliebene vor Not zu schützen. Daran hat sich bis heute nichts geändert, und die nötigen Geldmittel werden nach wie vor durch Beiträge der Mitglieder und durch Spenden aufgebracht.

Erhalten blieb auch der Brauch, anläßlich der jährlichen Rechnungslegung im Februar ein üppiges Mahl abzuhalten. Da kurz darauf die Winterpause endete und die neue Schiffahrtssaison begann, nahm dieses Mahl, zu dem die Kaufleute einluden, zugleich den Charakter eines Abschiedsessens für die Kapitäne an.

Früher versammelten sich die Geladenen im Wappensaal des Alten Hauses Seefahrt, an dessen Wänden die Wappen der Vorsteher und Oberalten seit 1586 angebracht waren. Nach der Zerstörung dieses Hauses stellte der Präsident des Bremer Senats dankenswerterweise die Obere Halle des Alten Rathauses zur Verfügung. Hier fand nun unter voll getakelten Segelschiffsmodellen, von denen das älteste, ein Geschenk des Hauses Seefahrt an den Senat, auf 1545 datiert wird, nach althergebrachter

Sitte die Mahlzeit statt. Für Damen, so wollte es das strenge Reglement, wurde in einem separaten Raum gedeckt.

Berechtigt zur Teilnahme an diesem ältesten Brudermahl der Welt waren alle kaufmännischen Mitglieder und alle Kapitäne, die schon einmal »geschafft« hatten oder zu Schaffern gewählt worden waren. Als Gäste geladen wurden Fremde, die mit Bremen Handel trieben oder für Bremens Handel und Verkehr von Interesse waren, sowie Vertreter der Bundesbehörden und andere, aber keine Bremer. Doch durfte diese Ehre laut Satzung jedem Gast in seiner jeweiligen Funktion nur einmal im Leben zuteil werden mit Ausnahme derjenigen, die selbst einmal »geschafft« hatten. Ich hatte 1992 »geschafft« und gehörte somit zur reinen Männerrunde, die sich aus etwa hundert Mitgliedern des Hauses Seefahrt, die schon einmal »geschafft« hatten, aus etwa hundert Kapitänen und aus rund hundert geladenen Gästen zusammensetzte.

Der Ablauf des Mahls folgt einem strengen Zeremoniell und geht sehr feierlich vor sich. Die Kapitäne, von denen die meisten schon längst nicht mehr zur See fahren, sondern eine Aufgabe an Land ausüben, legen für diesen Abend ihre Uniform an, und die übrigen Mitglieder tragen Frack, wobei die Schaffer durch eine schwarze Weste und eine schwarze Fliege dokumentieren, daß sie schon einmal geschafft haben. Die Gäste dagegen tragen eine weiße Weste mit einer weißen Schleife. Die Tische sind in der Form von Neptuns Dreizack aufgestellt und mit Blumen geschmückt. Während von draußen dämmeriges Licht durch die hohen Wappenscheiben fällt, beleuchten die sechzig Flammen des prunkvollen Leuchters mit dem kaiserlichen Doppeladler und dem Bremer Schlüssel im Herzschild die Tafel.

Das Mahl beginnt mit dem traditionellen Ruf des Verwaltenden Vorstehers: »Schaffen, Schaffen unnen und boven, unnen und boven Schaffen.« Mit diesen Worten wurde der Schiffsmannschaft unnen und boven, also unter Deck und an Deck, bereits vor Jahrhunderten verkündet, daß das Essen fertig sei. Danach folgt ein langer Speisengang, in dessen Mittelpunkt sowohl der traditionelle Stockfisch wie auch das traditionelle Essen mit Kohl und Pinkel stehen.

Nach etwa fünf Stunden löste sich die Tafel allmählich auf. Während hier und da noch ein Tänzchen gewagt wurde oder man sich zu einem kühlen Bier zusammensetzte, fand ich Gelegenheit zu einem Gespräch mit EG-Kommissar Dr. Martin Bangemann. Er hatte zuvor die Gästerede gehalten, mit Aussagen über Freihandel, wirtschaftliche Entwicklung und politische Notwendigkeiten. Auch hatte er die Schwächen der bremischen Wirtschaft dargestellt und die Stärken aufgezeigt, die sich möglicherweise nach Schaffung des Gemeinsamen Binnenmarktes für diesen Stadtstaat ergeben könnten. Bangemann hatte sich im September 1992 von seinem wichtigsten Mitarbeiter Manfred Brunner wegen dessen kritischer Einstellung zum Maastricht-Vertrag getrennt und wies immer wieder energisch die Vorwürfe von Politikern an die EG-Kommission über deren »Regelungswut« zurück.

Ich brachte das Gespräch nun auf die Bananenmarktordnung. Bangemann machte bereits einen etwas abgekämpften Eindruck. Als Gast trug er einen Frack mit weißer Weste und weißer Schleife, der sich nach dem fünfstündigen Essen und Trinken bedenklich um seinen Leib spannte. Hinzu kam die Hitze im Festsaal, die dem etwas fülligen Mann die Schweißperlen auf die Stirn trieb. Dennoch strahlte er Witz und Wissen aus und hörte mir aufmerksam zu, als ich ihm darlegte, welche Nachteile sich für die Häfen in Bremen, Bremerhaven und Rostock aus der Bananenmarktordnung ergeben, welche Auswirkungen diese auf die Länder Lateinamerikas haben würde und wie unsinnig es sei, überhaupt eine solche Bananenmarktordnung zu verabschieden.

Schließlich ergriff er selbst das Wort und ließ sich des langen und breiten darüber aus, wie er zu dieser Frage stehe und wie der Ministerrat möglicherweise in dieser unschönen Angelegenheit entscheiden werde. Ich hatte gerade mein zweites Glas Bier erhalten und hätte mich beinahe veschluckt, als ich mit wachsendem Befremden seinen Prognosen lauschte. Da saß ich mit dem EG-Kommissar und Vizepräsidenten der Kommission, der eigentlich die Interessen aller, also auch der deutschen Seite vertreten sollte, an einem Tisch, und dieser wußte gar nicht, daß der Ministerrat zu dieser Stunde dabei war, eine neue Entscheidung zu fällen, nachdem bereits im Dezember 1992 zugunsten einer Bananenmarktordnung entschieden worden war.

Ich suchte so schnell wie möglich, das Gespräch zu beenden, um in meinem Unmut nicht unhöflich zu werden. Dieser Mann ist ein brillanter Redner und angenehmer Gesprächspartner, aber worüber er redete, das wußte er nicht. Wie aber sollte ein solcher Mann, der schlecht oder gar nicht informiert war, in Brüssel die Interessen Deutschlands oder die Interessen Bremens und der hier ansässigen Wirtschaft vertreten? Offenbar gehörte auch er nur zur Gruppe jener Politiker, die nach Brüssel delegiert werden, weil es in Deutschland keine geeignete Position für sie gibt.

Gegen zehn Uhr verließ ich mit meiner Familie das Rathaus, um mich ins Park-Hotel zu begeben, wo die Schaffermahlzeit traditionsgemäß nach dem offiziellen Teil bei Tanz und guter Laune ausklang. Die gute Laune war mir nach dem Gespräch mit Bangemann allerdings verdorben. Auch meine Hoffnung, daß es der deutschen Seite in Brüssel doch noch gelingen würde, die Bananenmarktordnung zu verhindern, schwand mit jeder Stunde.

Meine bösen Ahnungen trogen mich nicht. In der Nacht zum 13. Februar 1993 wurde die Verordnung des Rates über die Gemeinsame Marktordnung für Bananen ein zweites Mal verabschiedet. Sie sollte ab 1. Juli 1993 für die gesamte Europäische Gemeinschaft gelten. Damit hatten wir nun endgültig die Bananenmarktordnung auf dem Tisch, und alle Anstrengungen, sie zu verhindern, waren vergeblich gewesen.

Trotz allem aber war es mir nach wie vor unbegreiflich, wie es zu dieser Entscheidung hatte kommen können. Was war geschehen in jener Sitzung des Agrarministerrates am 12. Februar? Wie ich erfuhr, hatten zunächst wiederum Deutschland, Dänemark, Belgien und die Niederlande gegen den Verordnungsentwurf votiert. Auch der Vertreter Belgiens, der nach der Behauptung des Vorsitzenden John Gummer in der Sitzung am 31. Dezember 1992 für eine Bananenmarktordnung votiert haben soll, blieb diesmal beharrlich bei seiner Kritik. Doch nach einer heftigen Auseinandersetzung gab plötzlich Dänemark zur Überraschung der übrigen Verhandlungsgegner seine Kritik auf. Ausgerechnet Dänemark!

Wie konnte Agrarminister Björn Westh einer solchen Ordnung zustimmen, die überhaupt nicht den Interessen seines Landes entsprach? Der Minister selbst argumentierte später, in der Sache sei er zwar nach wie vor gegen die Bananenmarktordnung. Da aber Dänemark turnusmäßig am 1. Januar 1993 den Ratsvorsitz übernommen habe, sei es im »Gemeinschaftsinteresse« in dieser Funktion nicht angängig gewesen, gegen die Vorlage zu stimmen.

Was hinter dieser ausweichenden Antwort steckte, erfuhr man nur gerüchteweise: Es hieß, daß die Spanier, Franzosen und Engländer dem dänischen Ministerratsvorsitzenden klar erklärt hätten, wenn er nicht für die Bananenmarktordnung spreche, würden sie dafür sorgen, daß unter seinem Vorsitz in der Amtsperiode bis 30. Juni 1993 keine Entscheidungen mehr durchgingen. Sie zwangen ihm also seine Zustimmung ab mit der Drohung, andernfalls alle weiteren Entscheidungen zu blockieren. Der dänische Agrarminister hätte, so mag er gefolgert haben, sein Gesicht verloren und in Dänemark nur noch abtreten können.

Ich war nicht gewillt, diesen Gerüchten weiter nachzugehen, weil ich einfach die Bestätigung scheute, daß es sich gar nicht um ein Gerücht handelte, sondern der Wahrheit entsprach. Aber bereits die eigene Stellungnahme des Ministers offenbarte, wie in Brüssel Meinungsfindungen vor sich gingen und mit welchem Geschick die Kommission es verstanden hatte, jeweils im entscheidenden Moment mit zum Teil sachfremden Argumenten und nicht zuletzt über massive Druckausübung ihre Auffassungen durchzusetzen.

Das Europäische Parlament konnte weder zu dem Kompromißvorschlag aus der Sitzung vom 17. Dezember noch zu der Streichung des Partnerschaftsmodells in der Sitzung am 12. Februar 1993 Stellung nehmen. Die Kommission nahm für sich in Anspruch, derartige inhaltliche Änderungen aufgrund eines nicht näher konkretisierten Verhandlungsmandats selbst und ohne parlamentarische Zustimmung aushandeln zu dürfen.

Die Bananenmarktordnung

Die endgültige Fassung der Verordnung über die Gemeinsame Marktordnung für Bananen wurde am 25. Februar 1993 im Amtsblatt Nr. L 47 als VO (EWG) Nr. 404/93 veröffentlicht. Danach ist es das Ziel der Verordnung, »Bananen aus der Gemeinschaft und aus den AKP-Staaten, den traditionellen Bananenlieferanten der Gemeinschaft, zu Preisen auf dem Gemeinschaftsmarkt abzusetzen, die sowohl den Erzeugern angemessene Erlöse gewährleisten als auch für die Verbraucher angemessen sind, ohne jedoch die Einfuhr von Bananen aus den anderen erzeugenden Drittländern zu behindern«. Die Wirklichkeit sieht jedoch ganz anders aus.

Für die Erzeuger von EG-Bananen sieht die Verordnung Beihilfs- und Unterstützungsleistungen vor. »Bei der Schaffung der Gemeinsamen Marktorganisation dürfen die Erzeuger nicht schlechter gestellt werden als bisher«, heißt es im Amtsblatt, »und da sich das Preisniveau auf diesen Märkten ändern dürfte, ist es angezeigt, eine Ausgleichsbeihilfe zu schaffen, die etwaige Erlöseinbußen infolge der Anwendung der neuen Regelung abdeckt, die durch die besondere strukturelle Lage in den betreffenden Gebieten verursacht werden.« Das heißt, die vorgesehenen Beihilfsleistungen waren weniger auf eine Strukturverbesserung als vielmehr auf die Konservierung der überkommenen, leistungsschwachen Anbaustrukturen gerichtet.

Im Rahmen der Ausgleichsbeihilfe nach Art. 12 der Verordnung zugunsten der EG-Bananenproduzenten wurde ein Ausgleich der Differenz zwischen einem Referenzpreis aus der Zeit der geschützten Märkte und ihrem jetzigen Vermarktungserlös garantiert. Ein Limit war nicht vorgesehen. Ein EG-Produzent könnte daher seine Bananen, für die er auf seinem geschützten nationalen Markt einen sehr hohen Preis erlöst hatte, jetzt für einen sehr niedrigen Preis vermarkten, und die Differenz müßte aus der EG-Kasse ausgeglichen werden. Ob dieses Beispiel überspitzt ist, würde sich zeigen, wenn die Beihilfeanträge vorliegen. Aufgrund der EG-Marktordnung müßte einem solchen Antrag ohne Rücksicht auf eine strukturpolitische Förderungsnotwendigkeit jedenfalls entsprochen werden.

Hinsichtlich der AKP-Bananen sieht die Verordnung vor, ihre traditionelle Exportmenge auf das individuell beste Exportjahr der Vergangenheit festzuschreiben und für diese Menge dann eine zollfreie Einfuhr in die Europäische Gemeinschaft zu gewähren.

Obwohl bereits durch diese Maßnahme die Existenz der EG- und AKP-Bananenproduktion gesichert wäre, enthält die Verordnung weitere Regelungen. Dies macht deutlich, daß im Gegensatz zum erklärten Ziel der Verordnung sehr wohl ein Interesse daran bestanden hat, den Marktzugang der Drittlandsbananen weitestgehend zu erschweren und zu begrenzen. So beschränkt die Verordnung die Jahreseinfuhrmenge an Drittlandsbananen für den gesamten EG-Raum auf 2 Millionen Tonnen. Wenn man sich vor Augen führt, daß die Einfuhrmenge 1991 allein auf den liberalen Märkten der Europäischen Gemeinschaft 2,4 Millionen Tonnen betragen hat, kann man die Wirkung einer solchen Kontingentierung ermessen.

Auf diese Kontingentsmenge soll dann statt des bisherigen GATT-konformen Wertzolls von 20 Prozent ein Gewichtszoll von 100 ECU pro Tonne erhoben werden. Die effektive Zollbelastung steigt damit – abhängig vom cif-Preis (cost, insurance, freight, frei von Kosten für Verladung, Versicherung, Fracht) der Bananen – auf etwa 27 Prozent. Alle über das 2-Millionen-Tonnen-Kontingent hinausgehenden Drittlandseinfuhren sollen statt mit 100 ECU mit 850 ECU pro Tonne verzollt werden.

Das bedeutet allein aufgrund der Zollbelastung einen Aufschlag von 2 Mark pro Kilogramm. Da ein solcher Betrag nie am Markt realisiert werden könnte, ist klar, daß es sich um einen reinen Prohibitivzoll handelt.

Doch die Regelungen der Verordnung greifen noch tiefer in den Markt ein. Von dem 2-Millionen-Tonnen-Einfuhrkontingent sollen die bisherigen Vermarkter von Drittlandsbananen nämlich nur einen Anteil von 66,5 Prozent, was 1,33 Millionen Tonnen entspricht, erhalten. Das Recht auf Einfuhrlizenzen kann demnach nur derjenige erhalten, der bereits 1989 bis 1991 am Markt tätig gewesen ist.

30 Prozent des Kontingents, was 600 000 Tonnen entspricht, sollen durch einfachen Verwaltungsakt den bisherigen Vermarktern von EG- und AKP-Bananen zugeschlagen werden, obgleich diese mit dem Import von Drittlandsbananen bislang nicht das geringste zu tun hatten und auch keinerlei Investitionen oder sonstige Aufwendungen für dieses Geschäft getätigt hatten. Diese Verschiebung großer Teile eines seit Jahrzehnten aufgebauten Geschäfts auf Mitbewerber ist sogar in der an abstrusen Regelungen nicht armen Geschichte der EG-Agrarpolitik ein Enteignungsakt, der bisher ohne Beispiel ist.

Die verbleibenden 3,5 Prozent des Kontingents reserviert die Verordnung für sogenannte Newcomer, die mit dem Handel oder dem Import von Bananen erst nach Verabschiedung der Bananenmarktordnung beginnen wollten. Voraussetzungen wurden zu diesem Zeitpunkt noch nicht verlangt, so daß jedermann einen Newcomer-Antrag stellen konnte, um einen winzigen Bruchteil aus diesem Kontingent zugewiesen zu bekommen. Irgendwelche Anwartschaften für die Zukunft waren mit dieser Newcomer-Zuweisung allerdings nicht verbunden. Der Newcomer mußte vielmehr in jedem Jahr erneut einen Antrag stellen, wobei er nie wissen konnte, auf wie viele Antragsteller sich die fixe Kontingentsmenge verteilen würde.

Daß sich auf dieser Basis ein kapitalintensives Geschäft wie der Import und die Vermarktung von Bananen, das darüber hinaus ein hochspezifisches Know-how erfordert, weder aufbauen noch aufrechterhalten lassen würde, lag auf der Hand. Offenkundig handelte es sich also lediglich um eine »Feigenblatt-Regelung«, um dem Einwand eines Eingriffs in die Gewerbefreiheit zuvorzukommen. Es konnte von der Kommission nicht übersehen worden sein, daß eine Zugangsmöglichkeit »mangels Masse« absolut nicht gegeben war. Ihr Vorschlag, die Newcomer könnten ihre Lizenzen übertragen und dadurch Mengenbündelungen erzielen, mußte in der Praxis unweigerlich zu einem Lizenzhandel führen, in dem nicht die Handelsware, sondern vielmehr das Recht zu handeln Geldeswert besaß.*

Eindeutige Verlierer der Bananenmarktordnung sind wir traditionellen Vermarkter von Drittlandsbananen. Uns wurden nicht nur die bisherigen Einfuhrmengen von etwa 2,4 Millionen Tonnen auf 1,33 Millionen Tonnen gekürzt, was einer Reduzierung auf 53 Prozent des bisherigen Volumens entspricht, sondern der uns entzogene Kontingentsanteil wurde zugleich unseren Mitbewerbern zugeschlagen. Hierdurch griff die Kommission widerrechtlich und in vielen Fällen existenzbedrohend in die über Jahrzehnte gewachsenen Vermarktungsstrukturen ein und verzerrte den Wettbewerb auf einem zukünftigen europäischen Markt eindeutig zugunsten der EG- und AKP-Vermarkter.

Es war nun endgültig besiegelt, daß Europa im Bereich des Bananenhandels künftig eine planwirtschaftliche Politik zu akzeptieren hatte. Demnach durfte Deutschland nur noch die Hälfte der bisherigen Bananenmenge importieren. Der Bananenhandel war kontingentiert, an Lizenzen gebunden, und die Preise wurden damit praktisch vorgegeben, zumindest tendenziell, nämlich nach oben.

Brüssel hatte erreicht, was zur Zielsetzung der Kommission gehörte, nämlich Kontrolle nicht nur des Handels, nicht nur des

---

* Eine Änderung, um den Zugang zu Newcomer-Lizenzen zu erschweren, wurde im September 1994 schließlich beschlossen.

Produkts, sondern auch der Firmen und der Personen. Die freie Marktwirtschaft war durch diese Eingriffe, zumindest was den Bananenhandel betrifft, außer Kraft gesetzt worden.

Erste Konsequenzen

Am 1. Juli 1993 sollte die Bananenmarktordnung in Kraft treten. Damit blieben uns vier Monate, um unser Unternehmen, das bereits vor Ausbruch des Zweiten Weltkrieges eine flächendeckende Absatzstruktur entwickelt hatte, zu reorganisieren. Nachdem wir in den 70er Jahren durch den Zusammenschluß mit dem führenden Hamburger Fruchthandelshaus *Olff, Köpke & Co.* die Position unserer Gruppe im internationalen Importgeschäft wesentlich gestärkt hatten und uns vor allem im Import, in der Reifung und im Handel mit Bananen eine besondere Bedeutung erworben hatten, sollten wir nun in vier Monaten neu organisieren, was über Jahrzehnte hinweg aufgebaut worden war. Eine Flotte von Kühlschiffen mit fast täglichen Ankünften an den besonders leistungsfähigen und hochmodern ausgestatteten Umschlagsanlagen in Bremerhaven, ein ausgefeiltes Transportsystem zu den 40 Niederlassungen unserer Gruppe in der Bundesrepublik und im europäischen Ausland sowie Bananenreifeanlagen, die immer auf den modernsten Stand der Technik umgerüstet wurden – all das, was bisher die Sonderstellung unserer Gruppe als Bananenmarktführer ausgezeichnet hatte, mußte nun der Bananenmarktordnung angepaßt werden.

Der Anteil unserer Gruppe am deutschen Bananenmarkt belief sich zum damaligen Zeitpunkt auf rund 40 Prozent. Unser jährlicher Umsatz im Bananengeschäft betrug eine Milliarde Mark inklusive der damit verbundenen Dienstleistungen. Er sollte nun auf dem Preisniveau von 1992 um etwa 450 Millionen

Mark gekürzt werden. Ein Zusammenbruch unserer Gruppe war vorprogrammiert.

In den letzten fünf Jahren hatten wir im Bananensektor Investitionen in Höhe von 170 Millionen Mark getätigt. Wir hatten in den neuen Bundesländern sechzig modernste Bananenreifeanlagen sowie eine Bananenlösch- und Umschlagsanlage im Hafen von Rostock errichtet. Diese Anlagen waren speziell für Bananen konzipiert worden. Außerhalb des Bananensektors können sie nicht genutzt werden. Dasselbe gilt für unsere vor gut 20 Jahren erbaute Bananenumschlagsanlage in Bremerhaven. Diese Anlage der Schiffahrts- und Speditionsgesellschaft *Meyer & Co.*, einer hundertprozentigen Tochter unserer *Atlanta*-Gruppe, hatte bislang jährlich rund 600 000 Tonnen Bananen gelöscht und sie für unsere Organisationen, aber auch für unsere Mitbewerber auf dem deutschen Markt abgefertigt.

Wir befanden uns in einer dramatischen Situation. Noch war nicht zu ermitteln, um wieviel Prozent unsere Gesamterträge zurückgehen würden und ob es uns gelingen würde, unsere Kosten ebenfalls in dem Maße zu reduzieren, um Erträge und Kosten einigermaßen ins Gleichgewicht zu bringen. Auch die tatsächlichen Verluste waren noch kaum zu übersehen. Bei einer unserer Tochtergesellschaften, der *Atlanta-Handels- und Schiffahrtsgesellschaft mbH,* zeichnete sich allerdings bereits vor Inkrafttreten der Bananenmarktordnung ein enormer Schaden ab.

Diese Gesellschaft war in unserer Gruppe für die Beschaffung und Vermarktung von Kühlschifftonnage zuständig. Im Oktober 1991 hatte sie unter anderem von der *Critical Shipping Ltd.*, einer Reederei mit Sitz in Hamilton, Bermuda, drei Bananenkühlschiffe der sogenannten Snow-Klasse gechartert. Dieser Chartervertrag hatte Gültigkeit bis zum 31. Dezember 1995 und war bis dahin unkündbar.

Durch eine weitere Vereinbarung hatte unsere Schiffahrtsgesellschaft die drei Kühlschiffe sodann der amerikanischen *Great White Fleet Ltd.* in Cincinnati zur Verfügung gestellt, die dafür eine Frachtrate zu zahlen hatte und die Schiffe zum Transport von Bananen aus Lateinamerika nach Europa nutzte. Die Vereinbarung enthielt jedoch eine *Force-majeure*-Klausel. Danach endete der Vertrag, wenn ein Fall höherer Gewalt eintrat und länger als sechs Monate andauerte. Als Beispiel für eine solche *Force majeure* nannte die Klausel »Government restrictions both with respect to production and market access«.

Genau dieser Fall war nun eingetreten, und bereits unter dem Datum des 19. Februar 1993 sandte uns die *Great White Fleet Ltd.* eine »notice of redelivery«. Darin erklärte sie, daß die drei Kühlschiffe infolge der Einfuhrbeschränkungen, die die Bananenmarktordnung bewirken werde, nicht mehr gebraucht würden. Unter Berufung auf die *Force-majeure*-Klausel kündigte sie an, sie werde die drei Kühlschiffe zurückgeben, »when the EC quota is put into fact«. Diese Mitteilung gab uns einen ersten Vorgeschmack auf das, was nun auf uns zukommen würde.

Ob tatsächlich ein Fall von *Force majeure* vorliegt, darüber wird zur Zeit noch vor dem Londoner Schiedsgericht verhandelt.

Hatte ich meine Energie bisher vor allem darauf verwandt, gegen die Bananenmarktordung zu kämpfen, so mußte ich nun auch darangehen, den Schaden für unsere Gruppe so gering wie möglich zu halten. Schadensbegrenzung mußte daher das Ziel unserer Überlegungen sein. Mir blieb zunächst nichts anderes übrig, als mich mit der Bananenmarktordnung zu arrangieren und unsere Strukturen den neuen Marktgegebenheiten anzupassen. Aber während wir nun fieberhaft daran arbeiteten, die Auswirkungen der Bananenmarktordnung auf unsere Unternehmensgruppe zu ermitteln und ein Konzentrations- und Rationalisierungsprogramm auszuarbeiten, wollte ich den Kampf gegen die Verordnung nicht aufgeben – zuviel stand für unsere Gruppe auf dem Spiel.

Der Kampf geht weiter

Bereits am 16. Februar 1993, unmittelbar nach der entscheidenden Sitzung des Ministerrates, unterbreitete unsere Anwaltskanzlei Herrn Weichert von der Firma *Inter Weichert* (*Del Monte*) in Hamburg und mir den ersten Entwurf unserer Klage vor dem Europäischen Gerichtshof in Luxemburg. Es gab für mich nun keinen Zweifel mehr, daß ich gegen die Bananenmarktordnung klagen würde. Mir war bewußt, daß ich mich auf einen steinigen und vor allem kostspieligen Weg begab. Aber nachdem ich alle anderen Möglichkeiten ausgeschöpft hatte, sah ich keine andere Wahl. Denn mich mit der Bananenmarktordnung abzufinden widersprach nicht nur meinem Rechtsempfinden, sondern auch meinem Verantwortungsgefühl als Vertreter des in der Branche führenden Unternehmens. Kaum ein anderes Unternehmen neben uns könnte ein solches Unterfangen finanziell und personell durchstehen.

In einer Anzeigenkampagne informierte ich die Öffentlichkeit über die Klage. Zugleich wollte ich damit auch verhindern, daß die Bundesregierung, die unterdessen eine Kölner Sozietät mit der Ausarbeitung ihrer Klagschrift beauftragt hatte, am Ende einen Rückzieher machte. Der Druck auf Bonn durfte nicht nachlassen, und die Bundesregierung mußte ihre Klage unter allen Umständen durchfechten.

Meine Anzeige trug die Überschrift *Bananenkrieg* und erschien in einigen großen Zeitungen Deutschlands:

Die Entscheidung von Brüssel ist nicht zu begreifen!
Die FESTUNG EUROPA wird Stück für Stück weiter aufgebaut.
Dies alles geschieht vor unseren Augen – öffnen wir sie!
Der Weg von der
freien Marktwirtschaft zur sozialistischen Planwirtschaft
wird nicht gewünscht.
Wir danken der HANDELSKAMMER BREMEN und dem SENAT dieser Stadt für die Unterstützung bei unseren Bemühungen für Recht und Gerechtigkeit; nicht nur zum Wohle Bremens, sondern zum Wohle
der gesamten deutschen Bevölkerung, des freien Europas und der lateinamerikanischen Länder.
Die deutschen Fruchtimporteure klagen an.
Möge auch die Bundesregierung nun ihre Haltung unter Beweis stellen:

Die Bundesregierung muß die Entscheidung des Ministerrates vor den Europäischen Gerichtshof bringen, und zwar umgehend!

Das GATT muß die Drittländer schützen und für diese denselben Weg gehen, und zwar umgehend.

Es darf nicht zugelassen werden, daß die deutsche Wirtschaft wegen Brüsseler Protektionspolitik weiter geschwächt und teilweise sogar enteignet wird und Bonn gleichzeitig weiterhin riesige Summen in den EG-Topf zahlt zugunsten der EG-Mitgliedsländer, die gegen die BRD votieren.

Bonn muß in solchen Fällen den Geldhahn abdrehen!

Wir müssen wach werden!

Wir setzen uns weiterhin für die Sache, für Gerechtigkeit und für Bremen ein, benötigen aber die Unterstützung nicht nur offizieller Stellen, sondern aller Bürger!

BERND-ARTIN WESSELS
im Namen des Vorstandes
der ATLANTA AG, Bremen

Unsere Klagschrift gegen die Bananenmarktordnung wurde am 13. Mai 1993 beim Gerichtshof der Europäischen Gemeinschaft in Luxemburg eingebracht. Bei der Annahme der Klage gab es jedoch ein formales Problem: Grundsätzlich steht juristischen Personen des Zivilrechts und natürlichen Personen der unmittelbare Rechtsweg zum Gerichtshof der Europäischen Gemeinschaft nicht offen. Eine Ausnahme gilt gemäß Artikel 173 EWG V nur dann, wenn der Kläger unmittelbar und individuell durch die angefochtene Norm betroffen ist. Unter Berufung auf diese Verordnung wiesen wir darauf hin, daß wir zusammengenommen beinahe 100 Prozent des deutschen Importaufkommens an Drittlandsbananen repräsentierten und die angegriffene Verordnung daher gerade uns und nur uns unmittelbar betreffe.

Neben unserer *Atlanta AG* und dem Kernstück unserer Gruppe, der *Atlanta Handelsgesellschaft Harder & Co. GmbH*, schlossen sich nämlich auch die *Internationale Fruchtimport Gesellschaft Weichert & Co.*, die *Afrikanische Frucht-Compagnie GmbH*, die *Cobana Bananeneinkaufsgesellschaft mbH*, die *Edeka Fruchtkontor GmbH* und die *Pacific Fruchtimport GmbH* unserer Klage an.

Unsere Klagschrift umfaßt 149 Seiten. Wir klagten gegen Titel IV der Verordnung, der die Regelungen für den Handel mit Dritten enthält, sowie gegen die Artikel 17 bis 20, die die Einfuhren, das Kontingent und die Maßnahmen für die Bedarfsvorausschätzung regelt. Auch klagten wir gegen den nicht rechtmäßigen Ablauf des Rechtsetzungsverfahrens. Das Europäische Parlament habe keine Gelegenheit gehabt, über die von der Kommission aufgrund der erhobenen Kritik abgeänderte Beschlußvorlage zu befinden, obwohl durch die vorgenommenen Änderungen die Substanz der Verordnung tiefgreifend umgestaltet worden sei. Damit liege ein klarer Verfahrensfehler vor, der zur Nichtigkeitserklärung der Verordnung führen müsse. Des weiteren lautete unsere Klage auf Schadenersatz für die Verluste, die uns durch die Quotierung der Bananeneinfuhren entstanden. Parallel dazu beantragten wir eine einstweilige Anordnung auf vorläufige Aussetzung der Verordnung.

Einen Tag später reichte die deutsche Bundesregierung bei der Kanzlei des Gerichtshofes ihre Klage gegen die Gemeinsame Marktordnung für Bananen ein. Ihre Klagepunkte glichen im wesentlichen den unseren. So warf die Bundesrepublik dem Rat ebenfalls die Unterlassung einer erneuten Anhörung des Europäischen Parlaments zu der endgültigen Fassung der Verordnung und die Verletzung der Begründungspflicht vor. Zudem klagte sie gegen eine Verletzung der Vertragsbestimmungen der gemeinsamen Agrarpolitik, der Wettbewerbspolitik und der Handelspolitik. Sie beschuldigte den Rat, das Diskriminierungsverbot und den Grundsatz der Verhältnismäßigkeit verletzt zu haben. Ferner gehörte auch die Verletzung des IV. Lomé-Abkommens und der GATT-Verträge zu den Klagepunkten.

Der Gerichtshof der Europäischen Gemeinschaft wies die Klage der Bundesregierung nicht, wie vom Rat gewünscht, zurück. Nach seiner Ansicht warf sie nämlich komplexe Rechtsfragen auf, die eine eingehende Prüfung nach streitiger Erörterung verdienten.

Zugleich stellte auch die Bundesrepublik einen Antrag auf Erlaß einer einstweiligen Anordnung, über den der Rat, die Kommission und die Vertreter der Bundesregierung auf der Gegenseite im Juni 1993 verhandelten. Die Bundesrepublik mußte nachweisen, daß ihr aus der Bananenmarktordnung ein schwerer und nicht wiedergutzumachender Schaden entstehe. Sie begründete ihren Antrag mit den Folgen, die eine Reduzierung der zu vermarktenden Bananen mit sich bringen werde.

Aufgrund der künstlich verknappten Einfuhrmenge sei ein Preisanstieg zu erwarten, der es vielen Verbrauchern, vor allem jenen mit geringerem Einkommen, unmöglich machen würde, ihren Bedarf an Bananen hinreichend zu decken. Die Banane habe bislang zumindest in Deutschland geradezu den Status eines Volksnahrungsmittels gehabt. Selbst wenn die Verteuerung der Banane pro Kopf und Jahr nur mit 25 Mark angenommen werde, wie dies der Rat veranschlagt habe, bedeute dies doch bei einer Bevölkerung von 80 Millionen eine volkswirtschaftliche Zusatzbelastung von zwei Milliarden Mark; mithin viel mehr, als Rat und Kommission im Zusammenhang mit den für die EG-Erzeuger auszugebenden Beihilfeleistungen noch für tragbar gehalten hätten. Außerdem würden durch die diskriminierende Mengenverknappung in Deutschland sehr viele Arbeitsplätze in den Seehäfen, beim landgebundenen Transport sowie im Fruchthandel ersatzlos wegfallen, da alsbald nach Inkrafttreten der Marktordnung mit Ertragsminderungen und Konkursen zu rechnen sei. Diese unmittelbaren Schäden ließen sich auch bei einem späteren Obsiegen im Hauptsacheverfahren nicht wiedergutmachen.

Rat und Kommission wandten ein, der Vortrag der Bundesregierung stelle ein »Katastrophenszenario« dar, dessen drohender Eintritt weder glaubhaft gemacht werden könne noch wahrscheinlich sei. Ein Mengenrückgang sei in der behaupteten Form nicht zu befürchten, da es den deutschen Marktbeteiligten freistehe, ihre Mengenverluste durch EG- und AKP-Bananen zu kompensieren. Wenn schließlich aber tatsächlich eine Minderversorgung drohe und durch verläßliches Zahlenmaterial belegt werden könne, sei die Kommission verpflichtet und bereit, das Einfuhrkontingent angemessen zu erhöhen.

Die Kommission verwies dabei auf die Vorschrift des Art. 16 III der angegriffenen Verordnung, in dem es heißt: »Die Bedarfsvorausschätzung kann erforderlichenfalls im Verlauf des Wirtschaftsjahres revidiert werden, um insbesondere das Auftreten außergewöhnlicher Umstände zu berücksichtigen, die sich auf die Produktions- oder Einfuhrbedingungen auswirken. In einem solchen Fall wird das in Artikel 18 vorgesehene Zollkontingent nach dem Verfahren des Artikels 27 angepaßt.«

Jener Artikel 27 sieht für eine solche Anpassung des Zollkontingents allerdings ein höchst kompliziertes und daher in der Praxis kaum durchführbares Verfahren vor. Der Artikel lautet:

»Der Vertreter der Kommission unterbreitet dem Ausschuß [gemeint ist der Verwaltungsausschuß für Bananen, Anm. d. Verf.] einen Entwurf der zu treffenden Maßnahmen. Der Ausschuß gibt seine Stellungnahme innerhalb einer Frist ab [...]. Die Stellungnahme kommt mit der in Artikel 148 Absatz 2 des Vertrages genannten Mehrheit zustande.

Die Kommission erläßt Maßnahmen, die unmittelbar gelten. Stimmen sie jedoch nicht mit der Stellungnahme des Ausschusses überein, so werden diese Maßnahmen dem Rat sofort mitgeteilt; in diesem Fall kann die Kommission die Durchführung der von ihr beschlossenen Maßnahmen um einen Zeitraum von höchstens einem Monat von dieser Mitteilung an verschieben.

Der Rat kann innerhalb eines Monats mit qualifizierter Mehrheit einen anderen Beschluß fassen.«

Die Bundesregierung wies darauf hin, daß in Ansehung dieser Regelung diese theoretisch mögliche Mengenerhöhung wohl kaum je praktisch beschlossen werden könne. Zum einen sei völlig unklar, auf welchen Wegen die Kommission bei der vorzunehmenden Bedarfsschätzung zu dem Schluß gelangen könnte, daß die Einfuhrmenge einer Erhöhung bedürfe, denn feststellen könne man den Umfang eines solchen Mehrbedarfs nur, wenn über das 2-Millionen-Kontingent hinaus weitere Drittlandsbananen eingeführt würden. Dies aber sei in der Praxis völlig ausgeschlossen, da die Bananen außerhalb des Kontingents mit einem Zoll von 850 ECU pro Tonne belegt seien. Aufgrund dieser Zollbelastung trete zwangsläufig eine Verteuerung der Bananen um 2 Mark pro Kilogramm ein, so daß kein Vermarkter derartige Bananen – noch dazu im direkten Wettbewerb zu der mit 100 ECU pro Tonne verzollten Ware – verkaufen könne.

Zum anderen sei es zumindest unwahrscheinlich, daß jemals ein Beschluß nach Art. 27 der Verordnung zugunsten einer Mengenerhöhung ergehen werde, da die Stimmenverhältnisse im Verwaltungsausschuß exakt die Interessenlage der EG-Mitgliedsstaaten und damit die bereits manipulierte Dominanz der EG- und AKP-Vermarkter widerspiegelten. Selbst wenn also die Kommission beabsichtigen sollte, die Einfuhrmengen zu erhöhen, müsse letztlich mit einer Ablehnung durch den Ausschuß gerechnet werden, da dessen Mehrheit daran interessiert sei, die Menge an Drittlandsbananen so gering wie möglich zu halten.

Der Europäische Gerichtshof ließ sich gleichwohl von der Argumentation der Kommission überzeugen und bezeichnete deren Vortrag als schlüssig. Zweifel an der eventuellen Realisierung einer Mengenerhöhung seien unberechtigt und könnten erst dann mit Erfolg vorgebracht werden, wenn tatsächlich dahingehende Initiativen abgelehnt worden seien. Wenn aber sichergestellt sei, daß gegebenenfalls eine Mengenerhöhung stattfinde, sei der Eintritt von Schäden aufgrund von Mengenentzug nicht wahrscheinlich oder gar zwingend.

Mit dieser Argumentation wurde der Antrag der Bundesregierung auf Erlaß einer einstweiligen Anordnung zurückgewiesen. Im Rahmen des Verfahrens auf einstweiligen Rechtsschutz könne eine Aussetzung der Verordnung nicht erfolgen, hieß es, zumal ein solcher Schritt und eine damit verbundene hohe Einfuhrmenge nach der Öffnung der Grenzen ihrerseits erheblich nachteilige Auswirkungen auf die bisher geschützten Märkte haben müßten. Ob die Verordnung tatsächlich, wie die Bundesregierung deutlich zu machen versucht habe, rechtswidrig sei, werde daher erst im Rahmen des Hauptsacheverfahrens vor dem Europäischen Gerichtshof zu prüfen sein. Der Termin zur mündlichen Verhandlung wurde auf den 20. April 1994 gelegt.

Die Zurückweisung des Antrags auf einstweilige Anordnung bedeutete für uns alle eine Riesenenttäuschung. Meine Betroffenheit über das Urteil brachte ich in einem offenen Brief an Bundeskanzler Kohl zum Ausdruck. Darin schrieb ich: »Der Eindruck bei breiten Teilen der Bevölkerung, daß die Bundesrepublik im Reigen der Mitgliedsländer der EG nur eine untergeordnete Rolle spielt, scheint im Urteil des EuGH leider eine Bestätigung zu finden. Die Nachbarländer England und Frankreich insbesondere üben offensichtlich ihren Einfluß wesentlich stärker aus.«

Gleichzeitig forderte ich die Bundesregierung auf, sich im Sinne der Verbraucher und der deutschen Wirtschaft dem Urteil des EuGH zu widersetzen: »Lassen Sie ungeachtet der Entscheidung des Ministerrates, eine Bananenmarktordnung zu schaffen, die lateinamerikanischen Bananen auch weiterhin über die deutschen Häfen in die Bundesrepublik hinein auf der Basis der bisherigen Konditionen, d. h. insbesondere auch ohne jegliche Mengenbeschränkung. Sorgen Sie bitte dafür, daß die Küstenregion unseres Landes nicht weiter geschwächt wird, Arbeitsplätze nicht unnötig gefährdet werden und eine Branche nicht in ihrer Existenz bedroht wird.«

Die Nonchalance, die Bonn in der Europapolitik an den Tag legte, war für mich inakzeptabel. Die Bundesregierung verhielt sich gegenüber den Vorgängen in Brüssel, als würden die dort gefällten Entscheidungen unser Land und seine Bürger gar nicht betreffen.

Frankreich wußte, wie Brüssel funktionierte, und machte das Spiel mit. Die Kommissare waren entsprechend den Gepflogenheiten von sechs- bis siebenköpfigen Kabinetten umgeben. Die Chefs dieser Kabinette klärten auf ihrer wöchentlichen Sitzung die meisten Kommissionsentscheidungen von vornherein ab. Zugleich versorgte Frankreich diese Kabinette fortlaufend mit detaillierten Informationen, so daß die Kabinettsmitglieder in ihren Verhandlungen mit den Kollegen nicht nur die Autorität ihres Kommissars hinter sich wußten, sondern auch die ihrem Land nützlichen Argumente parat hatten.

Bonn aber beteiligte sich nicht an diesem Spiel. Wollten die Kabinettsmitglieder der deutschen Kommissare die Meinung der Bundesregierung zu einem Problem erfahren, mußten sie erst in Bonn recherchieren. Zumeist erhielten sie dann ein Kompendium der Mehr- und Minderheitsmeinungen aus den parlamentarischen Fachausschüssen. Erkundigten sie sich in der ständigen Vertretung der Bundesrepublik Deutschland bei der Europäischen Union, so reagierte man dort nicht selten mit Verwunderung: »Wieso? Darüber berät die Kommission doch gerade!«

Immer wieder hatte ich den Eindruck, daß Bundeskanzler Helmut Kohl auf EG-Ebene nicht stark genug gegenüber den anderen Mitgliedsstaaten auftrat und den Vorgängen in Brüssel viel zu wenig Aufmerksamkeit schenkte. Ich fühlte mich von den Christdemokraten in Bonn, die es versäumt hatten, die Interessen der deutschen Fruchthändler und der deutschen Verbraucher mit dem nötigen Nachdruck geltend zu machen, nicht mehr vertreten. So beschloß ich, meine Position im Landesvorstand der Bremer CDU zu kündigen und meine Funktion im Landesvorstand des Wirtschaftsrates der CDU aufzugeben.

Das Ringen um die Lizenzen setzt ein

Nur noch wenige Tage trennten uns von jenem 1. Juli 1993, an dem die Bananenmarktordnung nunmehr in Kraft treten würde. Die knappe Frist von nicht einmal fünf Monaten vom Beschluß der Bananenmarktordnung am 13. Februar 1993 bis zu deren Inkrafttreten konnte unmöglich ausreichen, um alle notwendigen Vorbereitungen zu treffen. Fast bis zum letzten Tag wußte niemand genau, wie der Bananenmarkt sich nun gestalten würde. Alle Informationen blieben ungewiß und vage.

Mit der neuen Regulierung entstand zugleich ein Wust an zusätzlicher Administration. Am eigenen Leib sollte ich nun erfahren, was es bedeutete, wenn in den Zeitungen davon die Rede war, daß es sich in Brüssel um Bürokraten par excellence handelte. Bevor wir überhaupt in den Genuß von Lizenzen kommen konnten, mußten wir einen Nachweis über früher gehandelte Gesamtmengen in einem festgesetzten Referenzzeitraum erbringen. Ein solcher Nachweis aber war nur möglich, indem wir Rechnungskopien vorlegten, aus denen abzulesen war, wann wir wie viele Bananenkartons an den jeweiligen Empfänger berechnet hatten. Dies hätte eine Recherchearbeit ungeheuren Ausmaßes erfordert: Unser Verband ermittelte, daß wir dem zuständigen Bundesamt für Ernährung und Forstwirtschaft über 20 Millionen Kopien der Rechnungsformulare hätten zuleiten müssen und daß es nicht Wochen oder Monate, sondern Jahre dauern würde, wollte das Amt kontrollieren, ob auch alles seine Rechtmäßigkeit hätte. Vor allem hätte geprüft werden müssen, ob es sich tatsächlich um im eigenen Betrieb gereifte Ware handelte oder aber um auf Agentur- oder Großhandelsbasis zugekaufte Ware.

Auch das Bundesamt erkannte, daß ein solch ungeheurer administrativer Aufwand nicht zu verkraften war. Als Nachweis wurden dann die EDV-Unterlagen akzeptiert, die komprimiertes Zahlenmaterial aufwiesen und schließlich auch die Grundlage für die testierte Jahresbilanz bildeten.

Zunächst aber entbrannten heiße Debatten um die Verteilung der Lizenzen. Ich setzte mich vehement dafür ein, daß die Lizenzmengen nicht linear auf alle Marktbeteiligten verteilt wurden, sondern eine Gewichtung der Referenzmengen nach Art der Tätigkeit stattfand. Der Bananenhandel ist nämlich durch drei Stufen gekennzeichnet: Der Importeur liefert die Ware grün an den Großhändler oder an den Distributeur und Reifer. Diese wiederum reichen die Ware nach der Reifung in gelbem Zustand an die Zentrallager des Lebensmitteleinzelhandels weiter, wo die Bananen dann zu einer sogenannten Feinkommissionierung mit vielen anderen Produkten zusammengestellt und im Streckengeschäft an die Supermärkte oder andere Ladenlokale verteilt werden. Diese drei Handelsstufen sollten auch die Lizenzempfänger sein. Das heißt, nur der Importeur, der Großhändler und der Reifer, nicht aber der Einzelhändler sollten Lizenzen zugeteilt bekommen, und so wurde es auch festgelegt.

Eine entsprechende Verordnung erschien am 14. Juni 1993 als VO (EWG) Nr. 1442/93 im Amtsblatt. Demnach erhielt der Erstimporteur, der die Bananen im Erzeugerland kauft und auf sein Risiko verschifft, 57 Prozent seiner Referenzmenge angerechnet. Für den Zweitimporteur, der die Bananen zollrechtlich abfertigt und in die Europäische Gemeinschaft einführt, wurde der Gewichtungsfaktor auf 15 Prozent der Referenzmenge angesetzt, und für den Reifer beschränkte sich der Gewichtungsfaktor auf den verbleibenden Rest von 28 Prozent.

Damit konnte die jeweils vermarktete Bananenmenge eines Marktbeteiligten sich je nach seiner Funktion völlig unterschiedlich umsetzen, so daß ihm im Ergebnis nicht einmal ein Anteil von 53 Prozent, sondern sogar ein noch erheblich geringerer Prozentanteil verblieb. Ein Marktbeteiligter, der beispielsweise nur als Reifer tätig war, konnte lediglich für 28 Prozent seiner Referenzmenge Lizenzen beanspruchen. Dabei hatte ich mich zusammen mit der *Cobana* und ihren Fruchtring-Mitgliedern beim Landwirtschaftsministerium noch dafür eingesetzt, daß die Reifer wenigstens diesen Anteil erhielten. Wir als größte Reifer und Distributeure wären andernfalls völlig von den bisherigen Hafenimporteuren oder den Vertretern der Produzentengesellschaften abhängig geworden.

Dennoch würde die Reduzierung auf jene 28 Prozent der Lizenzmenge, die wir als Reifer zugeteilt bekamen, für unser Bananengeschäft das rasche Ende bedeuten. Statt bisher 600 000 Tonnen Bananen pro Jahr, was 600 000 Kartons pro Woche entspricht, durften wir nun gerade etwa 130 000 Tonnen pro Jahr reifen. (Da rund fünfzig Kartons gerade eine Tonne wiegen und ein Jahr rund fünfzig Wochen hat, entspricht die Jahresmenge in Tonnen der Wochenmenge in Kartons.)

Abgesehen von den Mengen, die wir vielleicht auf dem freien Markt noch zukaufen konnten, kamen wir in Kooperation mit anderen Geschäften auf die angestrebte Menge von mehr als 400 000 Kartons pro Woche. Dies bedeutete zwar immer noch eine Reduzierung um fast ein Drittel unserer bisherigen Mengen, aber ohne einen solchen Deal kämen möglicherweise gar keine Schiffe mehr nach Bremerhaven, und wir könnten unsere technischen Investitionen und einen großen Teil unserer Inlandsinvestitionen abschreiben, was einem Verlust von 100 bis 140 Millionen Mark im ersten Jahr und über zehn Jahre hinweg von etwa 350 Millionen Mark gleichkäme.

Angesichts dieser Lage war klar, daß wir unser Konzentrations- und Rationalisierungsprogramm, dessen Ausarbeitung wir im Februar nach der Brüsseler Entscheidung erarbeitet hatten, nicht in die Schublade legen konnten, sondern verwirklichen mußten. Im Vorstand beschlossen wir, dem Aufsichtsrat vorzuschlagen, unsere Organisation drastisch zu straffen, um die auf uns zurollenden Verluste so gering wie möglich zu halten. Unser Programm sah vor, acht Niederlassungen zu schließen und 500 Leute zu entlassen. Der Aufsichtsrat stimmte dem Vorschlag zu, und bis Ende 1993 sollte der Prozeß abgeschlossen sein.

Endlich ein Erfolg

Der Kampf in Sachen Bananenmarktordnung lief jetzt auf allen Ebenen. Einerseits mußte ich um das Überleben unserer Gruppe kämpfen und alles Erdenkliche unternehmen, um an Lizenzen zu kommen. Andererseits erforderte aber auch der Kampf gegen die Bananenmarktordnung meinen vollen Einsatz. Während ich vormittags mit meinen Vorstandskollegen daran arbeitete, unsere Reifeeinrichtungen und unser Distributionsnetz gemäß den Bestimmungen der Bananenmarktordnung umzugestalten, verbrachte ich die Nachmittage bis in die Nacht hinein damit, diese Marktordnung wieder zu beseitigen.

Am 21. Juni 1993, eine Woche vor Inkrafttreten der Bananenmarktordnung, erging in Luxemburg der Beschluß zu unserer Klage vom 13. Mai 1993. Der Europäische Gerichtshof verneinte die Zulässigkeit unserer Klage. Er führte aus, daß das Element der unmittelbaren Betroffenheit nicht gegeben sei. Vielmehr betreffe die Verordnung nicht nur uns, sondern auch alle anderen europäischen Marktbeteiligten im Bananensektor. Aus diesem Grunde wurde unsere Klage abgewiesen, und der Gerichtshof setzte sich mit den materiellrechtlichen Fragen der Klage nicht auseinander. Er verzichtete auch auf eine mündliche Anhörung und faßte seinen Beschluß auf der Grundlage der Angaben in der Klage und der Stellungnahmen des Rates.

Das bedeutete für alle, die sich an der Klage beteiligt hatten, mich eingeschlossen, abermals eine große Enttäuschung. Schließlich hatten wir darauf vertraut, wenigstens gehört zu werden. Nur hinsichtlich des Schadenersatzes blieben die Klagen anhängig. Über sie sollte erst nach rechtskräftiger Entscheidung der Klage der Bundesrepublik entschieden werden. Doch in diesem Punkt wäre selbst im Fall eines Obsiegens ein Schadenersatzanspruch kaum geeignet, die eingetretenen Schäden zu kompensieren. Verlorene Marktanteile, aufgegebene Betriebe und weggefallene Arbeitsplätze konnten hierdurch nicht wiederhergestellt werden.

Gemeinsam mit unseren Anwälten berieten wir, welche rechtlichen Wege uns noch offenstanden. Ein Inkrafttreten der Bananenmarktordnung war nach den beiden Urteilen von Luxemburg zunächst weder aufzuschieben noch aufzuhalten. Aber wir mußten wenigstens unseren Rechtsanspruch auf weitere Lizenzzuteilungen geltend machen. Auf Anraten unserer Anwälte beschlossen wir daher, Klage vor dem zuständigen Verwaltungsgericht in Frankfurt am Main zu erheben. Als Mitantragsteller trat wieder die in Hamburg ansässige *Internationale Fruchtimport Gesellschaft Weichert & Co.* auf.

Unser Antrag richtete sich paradoxerweise gegen die Bundesregierung, weil eine Bundesbehörde als ausführendes Organ der Europäischen Gemeinschaft für die Lizenzerteilung zuständig ist. Wir argumentierten, die EG-Marktordnung für Bananen sei rechtswidrig, und beantragten, unseren Firmen zur Vermeidung weiterer existenzgefährdender Schädigungen im Wege des einstweiligen Rechtsschutzes weitere Lizenzmengen über das Einfuhrkontingent hinaus zuzubilligen, und zwar zum Zollsatz von 100 ECU pro Tonne. Wir wiesen darauf hin, daß in unserer *Atlanta*-Gruppe wegen der Marktordnung bereits acht Großhandelsniederlassungen geschlossen und über 200 Mitarbeiter entlassen worden seien, weil die Logistik aufgrund der verringerten Mengen nicht mehr kostendeckend ausgenützt werden könne. Wenn sich die Situation nicht kurzfristig bessere, müsse mit dem Wegfall einer großen Zahl weiterer Arbeitsplätze sowie mit der Schließung oder zumindest der Reduzierung weiterer Betriebsstätten gerechnet werden.

Um uns in der Verhandlung nicht dem Vorwurf auszusetzen,

wir hätten es versäumt, die weggefallenen Importmengen von Bananen aus dem Dollarraum durch Liefervereinbarungen aus der EG- und AKP-Produktion zu kompensieren, hätten wir uns sofort nach Inkrafttreten der Bananenmarktordnung noch einmal nach Kräften darum bemüht, Kontakte zu Importeuren von EG- und AKP-Bananen aufzunehmen. Die EG-Kommission hatte ein Ausweichen auf diese Provenienzen ausdrücklich empfohlen, und auch der Europäische Gerichtshof hatte sich diese Argumentation zu eigen gemacht.

Bereits am Freitag, dem 2. Juli 1993, sandten wir per Fax Anfragen an *COPLACA* in Gran Canaria, *Association des Producteurs de Bananes du Caméroun* in Kamerun, *SICABAM* in Martinique, *Organisation Centrale des Producteurs et Exportateurs de Bananes et d'Ananas (OCAB)* sowie *Terre Rouge Consultants* an der Elfenbeinküste, *Jamaica Producers* auf Jamaika, *Windward Islands Banana Growers (WINBAN)* auf den Windward-Islands und *SICA-ASSOBAG* in Guadeloupe. Wir baten um Mitteilung der Konditionen für eine längerfristige Belieferung mit Bananen.

Das Ergebnis unserer Bemühungen bestätigte letztlich unsere Einschätzung, daß ein Ausweichen auf EG-und AKP-Bananen nur in der Theorie möglich, in der Praxis hingegen unmöglich war: Entweder es bestand überhaupt kein Interesse, unsere Gruppe zu beliefern, und wir erhielten trotz mehrmaligen Nachfragens keine Antwort wie von *COPLACA, SICABAM* und *Terre Rouge,* oder man teilte uns mit, daß eine Belieferung unserer Gruppe aufgrund anderweitiger Bindungen durch Exklusivverträge nicht gestattet sei. Der Verband verhandelte in gleicher Weise und teilte seine Erfolglosigkeit umgehend der Bundesregierung mit.

Ich unterrichtete unseren Verband von diesem Ergebnis und informierte auch die Bundesregierung. Ich forderte sie auf, in Brüssel eine Erhöhung des Kontingents zu erwirken, wie dies in Artikel 16 III der Marktordnung vorgesehen und sowohl vom Rat wie von der Kommission als Begründung für die Ablehnung des Antrags der Bundesregierung auf einstweilige Anordnung aufgeführt worden war.

Am 6. Oktober 1993 beantragte die Bundesregierung bei der EG-Kommission in Brüssel für das zweite Halbjahr 1993 eine Erhöhung des Importkontingents von Bananen aus dem Dollarraum um 22 Prozent von 1 Million Tonnen auf 1,22 Millionen Tonnen sowie eine für den deutschen Handel günstigere Aufteilung der Quoten. Danach sollte das Einfuhrkontingent zu 90 Prozent an traditionelle Importeure von Dollarbananen und zu 10 Prozent an Newcomer vergeben werden, während bisher allein 30 Prozent des Kontingents an Importeure von EG- und AKP-Bananen gingen.

Zur Begründung ihrer Anträge verwies die Bundesregierung auf die gestiegenen Verbraucherpreise für Bananen in Deutschland. Darüber hinaus hätten die deutschen Händler faktisch keine Möglichkeit, ihre Verluste durch Lieferungen aus den Anbaugebieten der EG- und AKP-Staaten auszugleichen. So gefährde die Bananenmarktordnung mittelständische Firmen in ihrer Substanz und schädige auch öffentliche Investitionen und Einrichtungen. Der Rostocker Hafen etwa habe wegen der geringen Einfuhren seinen Bananenumschlag einstellen müssen, und die Bananenumschlagsanlage in Bremerhaven habe von Juli bis September 1993 einen Rückgang des Umschlags um 25 Prozent gegenüber der vergleichbaren Vorjahreszeit erlitten.

Aber wiederum holte sich die Bundesregierung in Brüssel eine Abfuhr: Ende Oktober wurden beide Anträge abgelehnt. Das Brüsseler Verhalten machte mittlerweile auch für Außenstehende deutlich, daß das Ziel der Bananenmarktordnung nicht nur darin lag, die EG- und AKP-Bananenproduktion zu schützen, sondern den gesamten deutschen Bananenhandel drastisch einzuschränken. Die Bundesrepublik zeigte sich in Brüssel schwach genug, sich diese Behandlung gefallen zu lassen. Was bedeutete es, wenn sie sich nach Ablehnung ihrer Anträge rechtliche Schritte vorbehielt? Statt energisch Widerstand zu leisten, fügte sie sich den Brüsseler Entscheidungen.

Glücklicherweise war an den deutschen Gerichten das Prinzip der Rechtsstaatlichkeit noch lebendig. Am 1. Dezember 1993 erging der Beschluß des Verwaltungsgerichts in Frankfurt am Main über unsere Klage. Das Gericht folgte unseren Kritikpunkten fast vollständig. Es äußerte erhebliche Bedenken hinsichtlich der im Laufe des Normsetzungsverfahrens mehrfach inhaltlich geänderten Beschlußvorlage und zog darüber hinaus die Rechtmäßigkeit der Aufhebung des für Deutschland geltenden »Bananenprotokolls« in Zweifel. Außerdem bezweifelte das Gericht die Gültigkeit der Verordnung, weil sie sehr wahrscheinlich gegen die Grundsätze des freien Wettbewerbs, das Diskriminierungsverbot, unsere Eigentumsrechte, den Grundsatz des Vertrauensschutzes sowie den Grundsatz der Verhältnismäßigkeit verstoße. Diese Rechtsfragen wurden nach Aussetzung des Verwaltungsverfahrens im Wege des Vorlageverfahrens gemäß Artikel 177 EWG V dem Europäischen Gerichtshof vorgelegt.

Wegen der für unsere Firmen unmittelbar drohenden weiteren Schäden entschied das Verwaltungsgericht ferner durch einstweilige Anordnung ebenfalls vom 1. Dezember 1993, daß uns zur einstweiligen Abwendung dieser Schäden vorläufig weitere Einfuhrlizenzen zu erteilen seien. Die Firmen unserer *Atlanta*-Gruppe erhielten daraufhin entsprechend ihrer Marktbedeutung zusätzliche Lizenzen über gut 12 500 Tonnen Drittlandsbananen, während der Firma *Weichert* Lizenzen über rund 640 Tonnen zugesprochen wurden. Auch insoweit hatte das Verwaltungsgericht Frankfurt am Main ein Vorlageverfahren zum Europäischen Gerichtshof betrieben.

Endlich waren wir einen ersten Schritt vorangekommen. Soweit bekannt, handelte es sich um den ersten prozessualen Erfolg der von der Marktordnung Betroffenen. Allerdings durfte man nicht übersehen, daß die reine Lizenzgewährung nur eine vorläufige Erleichterung darstellte, da die aufgrund der zusätzlich zugesprochenen Mengen zu erteilenden Einfuhrlizenzen nur bis zum 7. März 1994 gültig waren. Danach würde die alte

Situation wiedereintreten, und wir wären erneut zur Klage gezwungen.* Im übrigen wurden uns die Lizenzen auch nur unter Vorbehalt zugeteilt, und im Falle eines Unterliegens im Hauptsacheverfahren müßten wir sie in der Tat zurückgeben.

Entscheidend am Ausgang des Prozesses war jedoch, daß der Europäische Gerichtshof nunmehr kurzfristig über die Bedenken hinsichtlich der Rechtmäßigkeit der Marktordnung, die ihm das Verwaltungsgericht in dezidierter Fragestellung vorlegte, befinden muß. Auch stand es nach diesem Urteil den anderen deutschen Importeuren und Händlern, die einen entsprechenden Schaden nachweisen konnten, ebenfalls offen, darauf zu drängen, mehr Bananen importieren zu dürfen. Es müßte ihnen in gleicher Weise Recht gesprochen werden. Dies wiederum müßte den Landwirtschaftsminister zwingen, mit den Landwirtschaftsministern der anderen europäischen Staaten erneut zu verhandeln.

Dieser hoffnungsvolle Ausblick wurde jedoch durch die Befürchtungen getrübt, daß die Kommission in Brüssel, die die Entscheidung des Verwaltungsgerichts Frankfurt als große Niederlage ansehen mußte, politischen Druck auf die Bundesregierung ausüben würde. Sie könnte versuchen zu erwirken, daß die Angelegenheit vor den Verwaltungsgerichtshof in Kassel kommt, mit dem Ziel, die Entscheidung rückgängig zu machen. Sollte die Bundesregierung diesem Druck tatsächlich nachgeben, würde sie jedoch bundesweit und international erheblich an Profil verlieren, denn ein solches Vorgehen stünde in krassem Widerspruch zu der von der Bundesregierung anhängig gemachten Klage vor dem Europäischen Gerichtshof in gleicher Sache.

Glücklicherweise gab die Bundesregierung dem Druck Brüssels letztlich jedoch nicht nach. Der Vorlagebeschluß des Verwaltungsgerichts Frankfurt am Main hat Rechtsbestand, und der Europäische Gerichtshof wird hierüber zu befinden haben.

---

* Im September 1994 hat die *Atlanta AG* erneut eine Klage vorbereitet und im Oktober 1994 eingereicht.

Zwischenbilanz

Das Jahr 1993 neigte sich dem Ende entgegen. Die Bananenmarktordnung befand sich nun ein halbes Jahr in Kraft. Der Handel mit Bananen war nach den Vorstellungen der Europäischen Union, wie sie seit Anlaufen des Maastrichter Vertrages am 1. November 1993 heißt, »geordnet«, und es wurde Zeit, eine erste Zwischenbilanz zu erstellen.

Für die deutschen Verbraucher hatten sich die Auswirkungen der Bananenmarktordnung bereits zu Beginn des Herbstes deutlich bemerkbar gemacht: Die Bananenpreise waren im Durchschnitt um etwa ein Viertel gestiegen, wobei der Preisanstieg in den neuen Bundesländern mit rund 35 Prozent sogar noch höher lag als in den alten Bundesländern, wo die Bananenpreise um etwa 20 Prozent stiegen. Bezogen auf den Preisdurchschnitt des Jahres 1992 ergab sich sogar ein Preisanstieg um 38 Prozent in den alten Bundesländern und um 51 Prozent in den neuen Bundesländern. Auch in den bisher frei zugänglichen Märkten der Beneluxstaaten und Dänemarks kam es zu Preiserhöhungen, während auf den bisher geschützten Märkten in Frankreich, Großbritannien, Spanien, Portugal und Griechenland die Bananen billiger geworden waren.

Innerhalb unserer Gruppe mußten wir feststellen, daß unser im Sommer beschlossenes Konzentrations- und Rationalisierungsprogramm nicht ausreichte, um die uns von Brüssel verordneten Reduzierungen zu kompensieren. Wir mußten unseren LKW-Park um ungefähr hundert Einheiten reduzieren und auch unsere Reifeanlagen teilweise abbauen. Unsere Bananenlöschanlage in Rostock legten wir still, um alle Schiffskapazitäten auf Bremerhaven zu konzentrieren. Es bestand kein Zweifel, daß die Schiffahrt sehr gelitten hatte und der Hafenumschlag an allen nordeuropäischen Häfen drastisch zurückgegangen war.

Es fiel uns nicht leicht, teilweise kleine, aber gesunde Betriebsstätten wegen Nichtauslastung der Kapazitäten aufzulösen. Die Menschen konnten es nicht verstehen, fünf, zehn, zwanzig oder sogar dreißig Jahre für uns gearbeitet zu haben und nun entlassen zu werden. Dabei hatten wir uns bemüht, wenigstens die Mitarbeiter, die viele Jahre im Verkauf oder in der Lagerwirtschaft tätig gewesen waren, an anderen Plätzen einzusetzen.

Es ergab sich eine paradoxe Situation: Wir hatten zwar weniger Bananen gehandelt, wegen der hohen Preissteigerungen aber einen Umsatzzuwachs erreicht und auch bei Bananen unseren Marktanteil auf nahezu 50 Prozent erweitern können. Wir waren weiterhin Marktführer. Unsere gute Position verdankten wir vor allem dem Umstand, daß wir unsere Struktur rechtzeitig der veränderten Marktform angepaßt hatten.

Bereits früh waren wir den Weg der vertikalen und horizontalen Integration gegangen und daher auch mit vor- und nachgelagerten Betrieben in Fremdbesitz finanziell verflochten. Auf diese Weise konnten wir zum einen unsere Organisation finanziell stützen und zum anderen sicherstellen, daß wir Ware bekamen und unsere Kunden behielten. Auch wurde damit der Einfluß von Gesellschaften, die ihren Sitz außerhalb Europas haben, größer, und dies war erforderlich, um der Abschottungspolitik entgegenzuwirken.

In der Tat liegt der Bananenimport nach Europa, was das Kapital betrifft, 1993 fast völlig in nord- und südamerikanischer Hand. Die Muttergesellschaft von *Chiquita* hat ihren Sitz in Cincinnati im amerikanischen Bundesstaat Ohio. Die *Dole Fresh Fruit Europe* in Hamburg ist eine Tochter oder Enkelin der nordamerikanischen Firma *Castle & Cook*. *Del Monte* ist nach der Polly-Peck-Affäre in England ins Trudeln geraten und an die *Cabal*-Organisation in Mexiko verkauft worden. *Bonita* gehört zur *Pacific*-Organisation, die ihre Muttergesellschaft in Ecuador hat. *Velleman & Tas* mit der Marke *Turbana* holen ihr *sourcing* im wesentlichen aus Kolumbien und gehören nun seit Sommer 1994 zu einem großen Teil zur irisch-britischen *Fyffes*-Gruppe mit Hauptsitzen in Dublin und London. Vielleicht gibt es noch einige kleine Betriebe, die wenigstens überwiegend in europäischer Hand liegen, wie etwa die *Afrikanische Frucht-Compagnie* in Hamburg. Die *Fruchtimportgesellschaft T. Port* in Hamburg hatte hundert Jahre lang Bananen importiert. Aber dann war ihr Lieferant ausgerechnet in jener Zeitspanne in Schwierigkeiten geraten, die von der Europäischen Union als Referenzzeitraum festgesetzt worden war. Damit war *Port*, einer der ältesten Bananenimporteure Deutschlands, in den Bereich der Newcomer eingestuft worden. Insgesamt befand sich der deutsche Bananenhandel in einem desolaten Zustand.

Aber auch die vermeintlichen Gewinner der Bananenmarktordnung mußten sich schließlich auf der Seite der Verlierer einreihen. Die Produzenten von EU- und AKP-Bananen, die jahrelang geschützt worden waren und auch weiterhin geschützt werden sollten, konnten sich nach Inkrafttreten des Binnenmarktes trotz der Gemeinsamen Marktordnung mit ihren Bananen gegen die besseren Qualitäten aus dem lateinamerikanischen Bereich nicht durchsetzen. Die ohnehin geschützten Preise, die durch die Bananenmarktordnung noch weiter geschützt und stabilisiert werden sollten, fielen teilweise um über 50 Prozent gegenüber den Vorjahreswerten. Nunmehr mußte dafür auch noch ein zusätzlicher Ausgleich aus Brüssel geschaffen werden.

Angesichts dieser Lage stellte sich die Frage, wem die Bananenmarktordnung überhaupt noch nützte. Wer zog Vorteile aus diesem Regelwerk, das keine Gewinner, sondern auf allen Seiten nur Verlierer hervorbrachte?

Als wir unseren Jahresabschluß erstellten, sah ich mir an, wieviel wir für Rechtsberatung allein in Sachen Bananen ausgegeben hatten. Ich stellte fest, daß der Kampf gegen die Bananenmarktordnung bereits eine siebenstellige Summe verschlungen hatte. Nicht mitgerechnet waren dabei die enormen Reisekosten, die zahlreichen Telefongespräche sowie der enorme Zeitaufwand. In unserer Gruppe waren neben mir nicht nur für unser Haus tätige Anwälte mit der Bananenproblematik befaßt, sondern auch andere Mitarbeiter waren permanent in Sachen Bananenmarktordnung aktiv. Hinzu kam der gewaltige Schriftverkehr, den unsere Sekretärinnen zu bewältigen hatten. Rechtsanwalt Ahlers, der für unsere Organisation zahlreiche Rechtsfragen bearbeitet, war zum Teil wochenlang nahezu ausschließlich in Sachen Bananen federführend tätig.

Deutlich wurde mir bewußt, daß man auch in der Demokratie sein Recht nur erkämpfen kann, wenn man die Mittel dazu besitzt. Ich war froh, daß unserer Gruppe diese Mittel zur Verfügung standen, denn welches andere deutsche Unternehmen unserer Branche wäre in der Lage gewesen, Millionenbeträge für Rechtsstreitigkeiten auszugeben? Ich hoffte aber, daß unsere Investitionen nicht vergeblich waren, sondern daß schließlich auch in Brüssel eine Entscheidung nach demokratischen Grundsätzen fallen werde, die uns wieder die Möglichkeit des Freihandels gibt.

Der Kriegsschauplatz weitet sich aus

Kaum hatte das neue Jahr begonnen, da füllte die Bananenproblematik auch schon wieder die Wirtschaftsteile der Zeitungen und Magazine. Mit Genugtuung stellte ich fest, daß ich längst kein Einzelkämpfer mehr war wie zu Beginn des Jahres 1992. Von allen Seiten empörte man sich nun gegen den Protektionismus der Europäischen Union. Sogar für EU-Kommissar Martin Bangemann stellte die Bananenmarktordnung jetzt einen »hellen Wahnsinn« dar.

Unterdessen hatte sich ein neuer Kriegsschauplatz aufgetan, denn die Länder Lateinamerikas, für die der Bananenhandel eine wesentliche Einnahmequelle ist, begannen um ihre wirtschaftliche Stabilität zu fürchten. Laut Schätzungen der Union der Bananenexportländer (UPEB) brachte der EU-Protektionismus den lateinamerikanischen Staaten Hunderte von Millionen Dollar an Devisenverlusten ein. In einigen Ländern machten die Bananenexporte mehr als ein Drittel der gesamten Exporteinnahmen aus. Dagegen nahmen die europäischen Staaten erheblich mehr an Zöllen ein, als sie den Bananen exportierenden Ländern an Wirtschaftshilfe zukommen ließen.

Gefährdet waren die Arbeitsplätze von 174 000 direkt im Bananensektor Beschäftigten sowie die Einkommen von weiteren 600 000 indirekt davon abhängigen Personen. Über 33 000 Hektar Monokulturen, 12 Prozent des gesamten Bananenanbaus der lateinamerikanischen Länder, mußten abgebaut werden. Das entsprach der Gesamtfläche der Plantagen Costa Ricas, das nach Ecuador der zweitgrößte lateinamerikanische

Bananenproduzent war. Hunderte von Millionen Dollar an Investitionen gingen verloren. Es stand zu befürchten, daß sich nach dem Vorbild der verarmten Kaffeebauern nun auch die Bananenbauern zum Anbau von Marihuana oder Koka entschließen würden.

Bereits vor einem Jahr hatten Costa Rica, Kolumbien, Guatemala, Nicaragua und Venezuela die Europäische Gemeinschaft zu Verhandlungen aufgefordert. Nachdem diese der Aufforderung nicht gefolgt war, hatten sie als nächsten Schritt das nach dem Streitschlichtungsverfahren des GATT vorgesehene Panel-Verfahren eingeleitet. Am 28. April 1993 hatten sie beim GATT die Einberufung eines Spruchkörpers, des sogenannten Panels, beantragt, damit dieser die Vereinbarkeit der Marktordnung mit den GATT-Bestimmungen prüfen lasse. Dem Antrag wurde stattgegeben.

Mitte Januar 1994 sollte nun dieses Panel seinen Bericht vorlegen. Doch die EU-Kommission versuchte buchstäblich mit allen Mitteln und unter Androhung massiven wirtschaftlichen Drucks, die Veröffentlichung des GATT-Panel-Spruchs zu verhindern. Um die Antragsteller zu einer Rücknahme ihrer Beschwerde zu veranlassen, bot ihnen die Kommission die Einräumung fester Exportquoten an. Dies hätte bedeutet, daß die Vermarkter von Drittlandsbananen in der Europäischen Union nicht nur eine Halbierung ihrer Importmenge hätten hinnehmen müssen, sondern darüber hinaus auch noch diese verbleibenden Mengen in ganz bestimmten Erzeugerländern hätten einkaufen müssen.

Bezeichnenderweise sollte diese weitere Restriktion ausdrücklich nur für den Kontingentsanteil der traditionellen Vermarkter von Drittlandsbananen gelten, nicht aber für die auf EU- und AKP-Operateure verschobene Kontingentsmenge. Diese hätten ihre Ware weiterhin völlig frei bei dem günstigsten Anbieter einkaufen können, ohne an dortige Ausfuhrkontingente gebunden zu sein. Die Vermarkter von Drittlandsbananen in der Europäischen Union aber wären durch eine Exportkontingentierung parallel zu den Einfuhrkontingenten zwischen den Mühlsteinen Exportkontingentierung und EU-Import-Lizenzzwang zerrieben worden.

Glücklicherweise widerstanden die lateinamerikanischen Antragsteller den ihnen präsentierten Verlockungen, ihre nationalen Interessen den Grundsätzen des Freihandels unterzuordnen. So veröffentlichte Anfang 1994 das GATT-Panel seinen Bericht und stellte fest, daß die EU-Marktordnung für Bananen in einer Reihe wesentlicher Punkte den Grundsätzen des GATT zuwiderlaufe.

Das GATT-Panel rügte, daß die entwicklungspolitischen Zielsetzungen der Lomé-Konferenzen durch zollrechtliche Besserstellungen der AKP-Staaten erreicht werden sollten. Es verurteilte diese Vorgehensweise als nicht GATT-konform und forderte die Europäische Union auf, hier andere politische Mittel einzusetzen und die Zollpräferenzen der AKP-Staaten aufzuheben.

Ferner verurteilte das Panel die Anwendung diverser Gewichtszölle, da das GATT ausschließlich einen Wertzoll vorsehe. Damit war das ganze System der unterschiedlichen Zollbelastung von Drittlandsbananen innerhalb des Kontingents (100 ECU pro Tonne), außerhalb des Kontingents (850 ECU pro Tonne) sowie von traditionellen AKP-Bananen (Zollsatz 0) und nichttraditionellen AKP-Bananen (750 ECU pro Tonne) GATT-widrig.

Schließlich verurteilte das GATT-Panel auch die Übertragung von Drittlandseinfuhrlizenzen auf EU- und AKP-Operateure nach Maßgabe der dort vermarkteten EU- und AKP-Bananen, weil hierdurch unzulässigerweise ein Anreiz geschaffen werde, vorrangig EU- und AKP-Bananen zu vermarkten, um dadurch indirekt in den Besitz einer möglichst hohen Drittlandsimportmenge zu gelangen.

Rechtskräftig konnte dieser GATT-Panel-Spruch aber nur dann werden, wenn ihn auf der nächsten GATT-Versammlung alle Betroffenen, also auch die Europäische Union, annahmen. Darauf mußte ich hinarbeiten.

Am 17. Februar 1994 schrieb ich abermals einen Brief an Bundeskanzler Helmut Kohl. Ich verwies auf die Entscheidung des GATT-Panels und betonte, daß dieser Spruch ihm den Rücken nicht nur in Brüssel, sondern vor allem in Paris stärken sollte, die einseitige Protektion in Sachen Bananen aufs schärfste zu verurteilen. »Nicht nur die deutschen Bürger und Wähler würden Ihnen für eine klare Haltung und stärkere Wahrung deutscher Interessen dankbar sein!«

Ich hob unter anderem hervor, daß es Aufgabe der Bundesregierung sei, in der Bananenfrage auch Dänemark davon zu überzeugen, daß es für dieses Land wichtiger sei, sich der deutschen Linie anzuschließen als der des protektionistischen Teils der Europäischen Union. »Wir (d.h. Sie mit Ihren Ministern bzw. Ministerien) müssen im Vorfeld, d. h. bevor die Kommission ihre Vorschläge dem Rat unterbreitet, viel aggressiver sein. Klarer in der Aussage und überzeugender. Nur erstklassige Politiker können die deutschen Interessen in Brüssel argumentativ überzeugend vertreten. Desinteressierte Sachkundige gehören nicht zu denen, die Sie wieder stark machen können!«

Mittlerweile aber gingen die Tricks der EU-Kommission weiter. Hatte sie die Veröffentlichung des GATT-Panel-Berichts nicht verhindern können, so wollte sie wenigstens verhindern, daß der Panel-Spruch rechtskräftig wurde. Ob Kommissar René Steichen oder der ihm unterstehende Direktor Alexander Tilgenkamp Schöpfer oder Drahtzieher dieser Konzeption war, weiß ich nicht. Kommissionspräsident Jacques Delors hatte bei der Bildung des dritten »Kabinetts« im Januar 1993 den luxemburgischen christ-sozialen Agrarminister Steichen eigens einem Vertreter der als liberal geltenden Niederlande vorgezogen. Die niederländische Regierung hatte nämlich ebenfalls Anspruch auf den Posten des EG-Kommissars erhoben. Es gab keinen Zweifel, daß die EU-Kommission die Entscheidung des GATT-Panels partout umgehen wollte. So bot sie den Ländern Costa Rica und Kolumbien an, eine bestimmte Menge Bananen in die Europäische Union zu importieren und dafür Exportkontingente festzulegen, die auch den Importlizenzen angepaßt werden sollten. Im Kern versuchte die Kommission hier durch ein sogenanntes *Framework-Agreement,* die GATT-Mitglieder gegen die Nicht-GATT-Mitglieder auszuspielen.

Dies bedeutete eine Ausnutzung des Bilateralismus zur Einschränkung des freien Welthandels. Hatte der Ministerrat erkannt, welches Spiel die Kommission hier spielte, oder billigte er das Vorhaben gar? Wenn dies der Fall war, dann mußte die deutsche Seite ihre Aktivitäten verstärken, denn zweifellos würde sie neben den lateinamerikanischen Ländern am Ende als der größte Verlierer dastehen.

Am 18. März 1994 sollte in Brüssel der sogenannte 113er Ausschuß, ein Ausschuß für landwirtschaftliche Fragen beim Ministerrat, zusammenkommen. Dabei würde in jedem Fall auch die Frage der Exportlizenzen an Costa Rica und Kolumbien behandelt werden. Ich sandte daher am 10. März ein Schreiben an Landwirtschaftsminister Jochen Borchert und forderte ihn auf, mit seinen belgischen, holländischen, luxemburgischen und dänischen Kollegen endlich eine starke Allianz zu bilden und schärfste Maßnahmen anzukündigen, »wenn unsere Nachbarländer nicht einstimmig gegen die Einführung von Exportlizenzen für Bananen angehen«. Ich betonte, daß er damit nicht nur die deutsche Seite politisch und wirtschaftlich zufriedenstelle, sondern auch die lateinamerikanische Allianz, die den Bilateralismus zwischen der Europäischen Kommission und unter anderen den Ländern Kolumbien und Costa Rica neben Venezuela und Nicaragua nicht akzeptiere.

Ferner telefonierte ich mit Erwin Stier, dem Bevollmächtigten des Bundesverbandes deutscher Fruchthandelsunternehmen in Hamburg. Der Verband mußte sich wieder stärker in das Geschehen einschalten. Erwin Stier las mir ein Schreiben von Staatssekretär Dr. Franz-Joseph Feiter vor. Es trug das Datum vom 24. Februar 1994, und Feiter bezog sich darin auf einen etwa vier Monate alten Brief von Stier.

Dr. Feiter ließ wissen, daß er die Auffassung von Herrn Stier und damit des Verbandes teile, wonach der Bericht des GATT-Panels vom Beginn des Jahres 1994 die deutschen Bedenken gegen die Bananenmarktordnung bestätige. Desgleichen sah er es als unausweichlich für die Kommission an, daß diese ihr Angebot im Rahmen der Uruguay-Runde bezüglich Bananen grundlegend und erheblich verbessere und dementsprechend auch Vorschläge zur Änderung der Marktordung für Bananen vorlege, um diese GATT-rechtskonform zu gestalten. Bisher habe die Kommission jedoch noch keinen entsprechenden Entwurf vorgelegt und auch auf das deutsche Memorandum noch nicht reagiert. Feiter betonte, daß die Bundesregierung sich weiterhin mit Nachdruck für eine Ausgestaltung der Bananenmarktordnung einsetzen werde, die den Forderungen der deutschen Bananenimporteure entgegenkomme.

Eine solche Mitteilung stimmte hoffnungsvoll. Da sie obendrein schriftlich abgegeben worden war, durfte man ihr einige Bedeutung beimessen. Wenn sich auch Minister Borchert der Auffassung seines Staatssekretärs anschloß, konnten die durch die Entscheidung der Kommission Gebeutelten wieder Mut fassen. Zu bezweifeln war jedoch, ob sich diese Position innerhalb der Bundesregierung und vor allem der europäischen Gesamtsituation durchsetzen konnte.

Erwin Stier las mir sodann seine Antwort an Staatssekretär Feiter vor. Er betonte darin, daß für die Bundesregierung nur ein Angebot der EU-Kommission an die lateinamerikanischen Drittländer akzeptabel sei, das den GATT-Regeln entspreche. Zugleich äußerte er seine Bedenken, daß mit einigen lateinamerikanischen Lieferländern erneut Absprachen getroffen werden sollten, die den Gesamtinteressen zuwiderliefen, und daß dabei seitens der Kommission den Ländern die Ausgabe von Exportzertifikaten angeboten werde. Eine solche Vereinbarung, die nicht den GATT-Regeln entspreche, würde zu einer weiteren erheblichen Benachteiligung des deutschen Importhandels führen. Nicht nur, daß durch die dann vorgesehene Erhebung von Lizenzgebühren, zum Beispiel Exportsteuern, eine spürbare Verteuerung für den Verbraucher eintrete, sondern man würde sich auch voll in die Hände der Lieferländer begeben, die dann nach Gutdünken den Markt der Gemeinschaft beeinflussen könnten. Hinzu käme, daß diejenigen Lieferländer, die nicht GATT-Mitglied seien, vergleichsweise niedrigere Exportquoten erhalten würden, die sich sehr nachteilig auf deren Wettbewerbsfähigkeit auswirkten. Schließlich würde die Verwaltung dieser Exportlizenzen und Quoten einen Super-Bürokratismus erfordern und die Freiheit des Handels so weit einschränken, daß man dann erst recht von einer Zwangsbewirtschaftung reden könne.

Ich hatte dem Brief nichts mehr hinzuzufügen. In der Tat würden die Exportsteuern, die im Fall der Ausgabe von Exportzertifikaten erhoben würden, eine Preiserhöhung bedeuten, die Nachfrage einschränken und damit zu einer weiteren Verschiebung des Weltmarktes führen. Dabei kämen diese Exportsteuern nicht etwa den Pflanzern, Bauern oder Packern zugute, sondern würden im wesentlichen der Finanzierung der Politik dienen, ähnlich wie die 20prozentigen Zölle für Dollarbananen, die seit dem 1. Juli 1993 in Deutschland erhoben wurden, ja auch nicht den Konsumenten zugute kamen, sondern in Brüssel versandeten.

Zur Importlizenzierung die Exportlizenzierung

Mitte März 1994 traten meine Frau und ich eine Urlaubsreise nach Madeira an. Seit Monaten hatte ich neben meiner Arbeit mehrere Stunden täglich nur damit zugebracht, gegen die Bananenmarktordnung zu kämpfen. Bis in die Nacht hinein hatte ich Gespräche geführt, Briefe geschrieben, Pressenotizen verfaßt und mir immer wieder den Kopf darüber zerbrochen, wie es zu dieser Entscheidung in Brüssel hatte kommen können. Der ganze Tumult um die Einfuhrlizenzen, über denen jetzt auch noch die Frage der Exportquoten schwebte, hatte an meinen Kräften gezehrt, so daß ich ein paar Tage Erholung gut gebrauchen konnte.

Kurz vor meiner Abreise hatte mir unsere Anwaltskanzlei mitgeteilt, daß Costa Rica sich mit der Bananenmarktordnung abfinde, wenn das jährliche Kontingent für Dollarbananen von 2 auf etwa 2,2 Millionen Tonnen erhöht würde. Welche Vorteile sich Costa Rica davon versprach, ging aus der Mitteilung nicht hervor. Es war aber anzunehmen, daß der damalige Außenhandelsminister von Costa Rica, Roberto Rojas, besondere Vergünstigungen erhielt.

Der Gewinn konnte allerdings nur kurzfristig sein. Langfristig würden dem Land ausschließlich Nachteile erwachsen. Sollte sich die Europäische Union eines Tages doch auf den freien Welthandel und die Richtlinien des GATT besinnen müssen, wäre Rojas in seinem Land nicht mehr in der Lage, die Verteilung der Exportquoten, die Festsetzung der Steuern darauf, die Vergabe der Anbaugenehmigungen usw. selbst zu regulieren.

Costa Rica schien mit Kolumbien, Venezuela und Nicaragua eine Absprache gefunden zu haben, obwohl der Bananenexport Venezuelas nach Europa völlig unbedeutend war. Auch bei Nicaragua spielten wohl eher politische Motive eine Rolle. Guatemala beharrte weiterhin auf der vollen Liberalisierung des EU-Marktes, und auch die Länder Ecuador, Honduras und Panama zeigten sich nicht zu Sonderabsprachen bereit.

Während ich nun von unserem Hotelzimmer in Funchal aus verschiedene Telefongespräche führte, erhielt ich eine Bestätigung dieser Nachricht. Es hieß, daß alle vier lateinamerikanischen Staaten übereingekommen seien, die Bananenmarktordnung zu akzeptieren, wenn sie 55 Prozent der Gesamtquote des Imports aus dem Dollarbananenkontingent nach Europa zugeteilt bekämen. Die Exportlizenzierung war damit quasi beschlossen. Sie konnte nur noch durch eine blockierende Minderheit im 113er Ausschuß in Brüssel verhindert werden. Da klingelte erneut das Telefon.

Friedel Gellerich, der Konsul von Honduras, informierte mich darüber, daß die Nachricht, wonach die vier lateinamerikanischen Länder unter der Führung Costa Ricas 55 Prozent der Quote akzeptiert hätten, doch nicht bestätigt sei. Die einzelnen Meldungen widersprachen einander, und stündlich tauchten neue Gerüchte auf. In Gedanken befand ich mich in Brüssel, wo in diesem Augenblick der 113er Ausschuß zusammenkommen mußte. Inständig hoffte ich, daß es Deutschland diesmal gelingen würde, die notwendige blockierende Minderheit zu bilden und damit alle Gerüchte hinsichtlich einer Exportlizenzierung mit einem Schlage zu beseitigen.

Unser Aufenthalt näherte sich dem Ende, aber die Gerüchte um das *Framework-Agreement* der Europäischen Union und der vier lateinamerikanischen Staaten Costa Rica, Kolumbien, Venezuela und Nicaragua waren nicht verstummt. Im Gegenteil, als wir nach Deutschland zurückkamen, deutete alles darauf hin, daß es tatsächlich zu dieser Absprache gekommen war und auch die Dominikanische Republik sich dem Vertrag angeschlossen hatte. Allerdings schien es sich dabei um einen Alleingang der EU-Kommission zu handeln, der dem Europäischen Parlament nicht vorgelegt worden war.

Landwirtschaftsminister Jochen Borchert bezeichnete den »Kompromiß«, wie die offenbar rechtswidrige Absprache beschönigend genannt wurde, als »Schritt in die richtige Richtung«. Es war mir unverständlich, was er mit diesem Urteil meinte. Wenn zusätzlich zu den Importlizenzen nun auch noch Importquoten verhängt werden sollten, so bedeutete dies einen Schritt mehr in Richtung Handelskontrolle und Planwirtschaft. Konnte unser Landwirtschaftsminister diese Richtung als richtig ansehen? In einem Brief bat ich ihn, sich mir zu erklären und mir zu bestätigen, ob er die Einigung der Kommission mit einigen lateinamerikanischen Ländern tatsächlich begrüßt habe.

Scharf verurteilt wurde die Vereinbarung dagegen von Wirtschaftsminister Günter Rexrodt. Wann immer ich in den letzten Monaten Gelegenheit hatte, mit Rexrodt die Bananenproblematik zu erörtern, war es für ihn eindeutig, daß eine Marktordnung den Freihandel mit Drittländern einschränkte. In diesem Sinne nannte er es auch jetzt inakzeptabel, wie die Kommission die Bananenimporteure in Deutschland durch die Einführung eines Exportquoten- und Lizenzsystems zusätzlich benachteilige und in ihrer Existenz bedrohen wolle. Mit der Zeit gewann ich den Eindruck, daß unsere Interessen in Bonn von liberaler Seite viel besser vertreten wurden als von den Christdemokraten.

Auch Guatemala, Honduras, Panama und Ecuador blieben bei ihrer ablehnenden Haltung und sprachen sich gegen das Abkommen aus, das zwar das gesamte Einfuhrkontingent leicht erhöhe, die Exportmöglichkeiten der nichtbeteiligten Länder aber beschneide. Für Honduras, Panama und Ecuador brachte die neue Regelung eine Exporteinbuße von 400 000 Tonnen.

Welche Wirkungen die Machenschaften der EU-Kommission nach sich zogen, bewies das Beispiel des kolumbianischen Botschafters bei der Europäischen Union: Nachdem er als Vertreter eines GATT-Mitgliedslandes von der Europäischen Union ein entsprechendes Angebot hinsichtlich der Exportkontingente erhalten hatte, trat er an die große *Compania Bananera Noboa S.A.* in Ecuador heran, um seine persönlichen Dienste anzutragen. Er bot an, dafür zu sorgen, daß auch Ecuador, das zu diesem Zeitpunkt kein GATT-Mitglied war, etwas von dem Exportkontingent abbekomme, damit es im Gegenzug »bei der Stange bleibe«. Für diese kleine private Hilfestellung verlangte Seine Exzellenz 1,2 Millionen Dollar.

Die Verantwortlichen bei der *Compania Bananera Noboa* zeigten Rückgrat und lehnten das Angebot ab. Sie taten auch gut daran, denn der Handel wäre bestimmt an die Öffentlichkeit gedrungen, und die ecuadorianische Exportfirma hätte ihren guten Ruf auf dem Weltmarkt für Bananen verloren.

Der wilde Lizenzhandel blüht

Auf dem deutschen Bananenmarkt herrschten unterdessen katastrophale Zustände. Schon bald nach dem Inkrafttreten der Bananenmarktordnung begann ein wilder Lizenzhandel. Newcomer, die das Recht hatten, bis zu 3,5 Prozent der gesamten Kontingentsmenge zu importieren, wenn sie zukünftig neue Bananenhändler werden wollten, nutzten die Gelegenheit. Jeder, der wollte, konnte eine Lizenz beantragen, und nicht wenige machten von diesem Recht Gebrauch. Sobald die Lizenz zugeteilt war, wurde sie für teures Geld an solche Händler verkauft, die keine andere Wahl hatten, als die Lizenzen zu kaufen, um ihre Anlagen einigermaßen auszulasten. Während es 1992 in Deutschland etwa 10 Großhändler und Importeure von Bananen gegeben hatte, stieg ihre Zahl 1993 sprunghaft auf über 1800 und den Anträgen zufolge 1994 auf zigtausend.

Gemäß der Verordnung hatten nun aber auch die bisherigen Importeure von EU- und AKP-Bananen 30 Prozent der Lizenzen zur Einfuhr von Bananen aus dem Dollarraum erhalten. In der Praxis konnten sie mit diesen Lizenzen gar nicht besonders viel anfangen. Wenn zum Beispiel die britischen Firmen *Geest* und *Fyffes* die guten und preiswerten Dollarbananen in England einführten, müßten sie diese ja in Konkurrenz zu ihren eigenen qualitativ schlechten Bananen verkaufen, was den englischen Markt in die Knie gezwungen hätte. Wollten sie ihre Lizenzen also nicht einfach verkaufen, mußten sie neue Märkte suchen, und der deutsche Markt bot sich hier geradezu an.

Die britische Importfirma *Fyffes* trat also in den deutschen

Markt ein. Sie suchte aber nicht nur den Großhandel und Reifer als Kunden zu gewinnen, sondern wandte sich auch an den nicht lizenzberechtigten Lebensmitteleinzelhandel. Sie lief damit gleichsam offene Türen ein, denn der Lebensmitteleinzelhandel hatte sich entsprechend dem Zwang zur Rationalisierung in der Vergangenheit immer wieder darum bemüht, den Zwischenhandel auszuschalten und auch Bananen direkt beim Erstimporteur zu kaufen.

In der Praxis freilich erwies sich ein solches Vorgehen, das nicht selten der Profilierungssucht eines Einkäufers gegenüber dem Vorstand entsprang, nicht unbedingt als sinnvoll. Häufig bekam der Einzelhandel nämlich schlechtere Konditionen eingeräumt oder mußte für andere Waren mehr bezahlen und war in seiner Reklamationsfähigkeit eingeschränkt. Seine Logistik arbeitete unwirtschaftlich, und seine Administration wurde zusätzlich belastet. Dennoch bauten einige Einzelhandelsketten sogar weitverzweigte eigene Spezialbetriebe auf. Diese sogenannten Regiebetriebe oder Regieabteilungen arbeiteten in der Regel zwar unwirtschaftlich, wurden aber durch eine falsche Zuordnung von Kosten und Erträgen, durch Nichtbeachtung von Overheads, Versicherungen, Finanz- und Managementfees künstlich als erfolgreiche Profitcenters ausgewiesen.

Das Vorgehen von *Fyffes* kam zum einen also durchaus einem Trend entgegen, führte aber zum anderen dazu, daß die traditionellen Handelsbeziehungen unterbrochen wurden und neue aufgebaut werden mußten. Auf Dauer konnte dies nicht nur zu einer Reduzierung der Lizenzen führen, sondern konnte auch nicht im Interesse der Bananenmarktordnung liegen: Darin wurde ja ausdrücklich erklärt, daß es das Ziel sein müsse, bestehende Handelswege nicht negativ zu beeinträchtigen.

Gleichzeitig wurde dadurch auf dem deutschen Markt ein wirtschaftlich nicht sinnvoller Wettbewerb zwischen den bisherigen Lieferanten und deren Kunden aufgebaut. Plötzlich wurden die Kunden, die bisher von uns gelbe Ware erhalten hatten, Direktempfänger von grüner Ware. Der Lebensmitteleinzelhandel konnte aber mangels eigener Kapazitäten diese Ware gar nicht reifen und würde dafür auch keine Lizenzen erhalten, da er ja im Referenzzeitraum von 1989 bis 1991 nicht Reifer gewesen war.

Eine der großen Lebensmittelhandelsketten in Deutschland, die aus England grüne Bananen geliefert bekam, beauftragte nun uns mit der Reifung der Ware. Wir nahmen den Auftrag gern an, weil wir angesichts der Lage froh sein mußten, wenigstens auf Teilgebieten zusätzliche Dienstleistungen als Erfüllungsgehilfe erbringen zu können. Vielleicht erhielten wir sogar später einmal die Lizenzen als Reifer für diese Ware, denn weder der Lieferant noch der Lebensmitteleinzelhandel konnten Lizenzen bekommen, da sie beide im Referenzzeitraum nicht gereift hatten.

Letztlich stiftete dieses Vorgehen natürlich Verwirrung und brachte viel Schaden auf den deutschen Markt. Um so mehr erstaunte mich daher, daß auch andere große Bananenimporteue dem schlechten Beispiel folgten. Gewiß besaßen sie ein Recht dazu, wenngleich diese Vorgehensweise gegen die Vereinbarungen verstieß, die mit dem deutschen Fruchthandel, also auch mit uns, abgeschlossen worden waren. Darüber hinaus machte ein solches Geschäft – wenngleich zulässig – keinerlei Sinn.

Was hier vorging, wurde mir erst bewußt, als der Lebensmitteleinzelhandel uns den Auftrag erteilte, auch für jene grünen Bananen, die man »direkt« erhielt, die Reifetätigkeit zu übernehmen. Wir taten dies, aber gleichzeitig forderte man uns auf, Lizenzansprüche, die aus dieser Reifetätigkeit eventuell für einen späteren Zeitraum entstünden, an den Auftraggeber abzutreten. Dieses Verlangen war nicht nur unbillig, sondern darüber hinaus völlig sinnlos und für beide Seiten von Nachteil. Einerseits könnte der Lebensmitteleinzelhandel nach dem Wortlaut der Bananenmarktordnung die Ansprüche gar nicht geltend machen. Andererseits aber wären wir, wenn wir als Lizenzberechtigte Ansprüche abtreten, diese los. Schaden entstünde damit nicht nur für uns, sondern auch für unsere Handelspartner selbst, die uns als Lohnreifer einsetzten.

Anfang April 1994 besuchten mich in Bremen die Vertreter großer Bananengesellschaften. Wir diskutierten über die Auswirkungen der Bananenmarktordnung. Als ich den Herren erklärte, wie unsinnig ein solcher Handel an uns vorbei war und wie unklug sich Empfänger, die nicht selbst reifen, verhalten, wenn sie von uns die Abtretung von Lizenzansprüchen verlangen, gingen ihnen ein paar Lichter auf. Offenbar hatte man sich überhaupt keine Gedanken über die Bedeutung dieses Geschäfts gemacht.

An solchen Beispielen konnte man sehen, welche neue Problematik durch die Bananenmarktordnung aufgetreten war und wie ein Fehler in der Politik zwangsläufig zu weiteren Fehlentwicklungen in der Wirtschaft führen mußte. Welche Konsequenzen darüber hinaus die Exportlizenzierung zeitigen würde, stand noch in den Sternen. Gewiß war nur, daß das Absatzvolumen weiter sinken und die Krise auf dem deutschen Bananenmarkt sich weiter verstärken würde.

Marktforschungsdaten belegen, daß die Anzahl der Käuferhaushalte 1993 um 14 Prozent gegenüber 1992 gesunken ist. Die Einkaufsmengen sind sogar um 24 Prozent zurückgegangen, und der Preis für ein Kilogramm Bananen hatte mit 2,35 Mark seinen bisherigen Höchststand erreicht, er lag 25 Prozent höher als 1992.

Diese Entwicklung hatte auch Folgen für die gesamte Obst- und Gemüseabteilung beim Lebensmitteleinzelhandel. Selbst wenn durch die höheren Preise der Bananenumsatz gestiegen war, darf man nicht vergessen, daß die Banane als Grundnahrungsmittel eine Lokomotivfunktion für die gesamte Frischfruchtabteilung hat. Gepflegte Bananen regten bisher den Absatz der ganzen Abteilung an, da sie für die Verbraucher einen Anziehungspunkt bildeten. In der Tat mußte festgestellt werden, daß die steigenden Bananenpreise und der dadurch reduzierte Bananenkonsum den Verbraucher nicht dazu verleiteten, andere Obstsorten zu kaufen, sondern daß die Entwicklung in allen Obstsegmenten stagnierte oder sogar rückläufig war. Stärker als erwartet war der deutsche Verbraucher auf Bananen fixiert und nicht bereit, sie in seinem Speiseplan durch andere Früchte zu ersetzen.

Brüssel regelt und regelt und regelt

Seit über einem halben Jahr wurde der europäische Bananenhandel nun von Brüssel aus gesteuert. Durch Importlizenzen wurde festgelegt, wer Bananen importieren durfte, und durch Exportquoten sollte nun darüber hinaus auch bestimmt werden, wer Bananen nach Europa exportieren durfte. Das Ende des freien Wettbewerbs im Bananenhandel war damit besiegelt, und so bedeutete es eigentlich keine Überraschung mehr, als aus Brüssel das Gerücht von einer neuen Regelung auftauchte: Die EU-Kommission wollte nun auch Qualitätsnormen für Bananen schaffen.

Im Grunde war dieser Schritt sogar notwendig. Nachdem der Markt außer Kraft gesetzt worden war, mußte nun auf bürokratische Weise durch zahlreiche Verordnungen und Vorschriften all das bestimmt und festgelegt werden, was bisher durch das Wechselspiel von Angebot und Nachfrage automatisch geregelt worden war.

Ein genaues Studium der geplanten Regelungen ergab, daß es sich bei den angeblich im Interesse der Verbraucher vorgenommenen Normierungen nur um ein vordergründiges Motiv handelte. In Wahrheit ging es wieder nur darum, im Interesse Frankreichs, Großbritanniens und Spaniens die selbst nach Inkrafttreten der Marktordnung wegen ihrer schlechten Qualität kaum konkurrenzfähigen EU- und AKP-Bananen zu protegieren. Auch diese Regelung sah nämlich eine unterschiedliche Behandlung der EU- und AKP-Bananen einerseits und der Bananen aus dem Dollarraum andererseits vor.

Während die EU-Bananen bereits unmittelbar nach der Ernte in der überseeischen Packstation einer Begutachtung unterzogen werden sollten, hätten die Bananen aus dem Dollarraum erst nach dem Eintreffen im Einfuhrhafen oder sogar erst nach der Reifung begutachtet werden sollen. Jeder im Bananenhandel Tätige kann abschätzen, welche Auswirkungen diese unterschiedliche Behandlung auf das Ergebnis der Bewertung haben muß. Es ist allgemein bekannt, daß nach der Verpackung und während des Transports unvermeidlich ein Qualitätsverlust eintritt.

Findet die Klassifizierung der EU-Bananen also bereits vor dem Transport in der Packstation statt, dann entsteht zwangsläufig ein falscher Eindruck von hoher Qualität, der sich auf dem Markt niemals bestätigen kann und Handel und Verbraucher in die Irre führt. Einige für die Qualität der Früchte entscheidende Eigenschaften sind nämlich gar nicht feststellbar, wenn die Begutachtung bereits in den Packstationen vor dem Seetransport erfolgt. Die Frage der Unterkühlung, der Halsbeschädigung, der Blütenreste, der Zustand der Krone, eventuelle Latexspuren sowie die Reifeentwicklung können erst beurteilt werden, wenn die Früchte den Transport oder sogar die Reifung hinter sich haben. Das heißt, abermals machte sich die Kommission in Brüssel daran, einen Regelungsentwurf auszuarbeiten, um die Bananen aus Lateinamerika zu diskriminieren.

Hinzu kam, daß einige der Kriterien völlig unrealistisch waren. Sie waren weder mit den tatsächlichen Eigenschaften des Produkts vereinbar noch für eine objektive Bewertung geeignet und viel zu hoch gegriffen. Weder reife noch grüne Bananen können, unabhängig vom Herkunftsland, etwa die vorgeschlagene Norm von drei Zentimeter Längen- und drei Millimeter Schnittgradunterschied* erfüllen. Auch ist eine solche Gleichförmigkeit weder vom Handel noch von den Verbrauchern er-

* Der Schnittgrad bezeichnet den Entwicklungszustand anhand der Form des Fruchtquerschnitts. Im Falle der Banane bezeichnet er den Entwicklungszustand des Durchmessers.

wünscht. Verbraucherumfragen ergeben im Gegenteil einen Bedarf von sehr unterschiedlichen Fruchtlängen bei Bananen.

Die Brüsseler Kommission aber setzte fest, daß die Mindestlänge einer Banane 14 Zentimeter betragen müsse, wobei diese Länge an der Außenseite der Bananenkrümmung zu messen sei. Dieses Mindestmaß war so wenig, daß es nunmehr Bananen in einer Größenordnung zuließ, wie wir sie in Deutschland noch nie gesehen hatten. Die Selbstkontrolle der Bananenimporteure hatte für Spitzenmarken bisher mindestens 19 Zentimeter Länge vorgeschrieben. Das heißt, selbst die kleinste Banane der guten Qualität übertraf das jetzt zugelassene Mindestmaß um 5 Zentimeter.

Außerdem wurde festgelegt, daß eine Banane mindestens 27 Millimeter breit sein müsse. Dieses Maß konnte nur einem Beamtengehirn entsprungen sein, das keine Ahnung vom Bananenhandel hat, denn jeder Fachmann weiß, daß eine Breite von 27 Millimetern gleichzeitig bedeutet, daß die Banane nicht ausgereift ist und damit auch kein entsprechendes Aroma besitzt. Vielleicht aber dürfen wir erwarten, daß die Kommission sich eine weitere Marktordnung ausdenkt, die den Geschmack reguliert, so daß der Verbraucher künftig von der Kommission vorgeschrieben bekommt, welchen Geschmack er gefälligst zu mögen habe.

Um die Interessen der Verbraucher aber ging es der Brüsseler Kommission bei diesen Regelungen gar nicht. Sie hatte andere Ziele im Sinn, wenn sie unerfüllbare und praxisferne Qualitätsanforderungen stellte. Ihr Entwurf sah eine Dreiteilung der Qualitätsnormen in eine Extraklasse, eine erste Klasse und eine zweite Klasse vor. Das für die Extrakategorie vorgesehene Niveau würde so gut wie kaum zu erreichen sein. Eine hohe Proportion der gehandelten Bananen würde in die zweite Kategorie fallen, also zu Ware erklärt werden, die nur schwer gehandelt werden konnte, für die es aber noch Zuschüsse geben würde, solange die sogenannte Norm erfüllt würde.

Möglicherweise aber sollte genau das erreicht werden, denn

eine derartige Verfügung könnte dazu führen, daß Zuschüsse für minderwertige Ware gewährt würden. Diese Ware würde natürlich aus den EU- und AKP-Produktionen stammen. Auch konnte eine solche Verordnung dafür angewendet werden, bei niedrigen Preisen der EU-Bananen Importe von Bananen aus anderen Herkunftsländern zu suspendieren.

Von welcher Seite man den Regelungsentwurf auch betrachtet, er ging immer nur zu Lasten Lateinamerikas und diente dazu, die Ware aus diesen Ländern zu diskriminieren. Seine Ungerechtigkeit, Unangemessenheit und Praxisferne bewiesen mir wieder einmal, daß es für das Bananenproblem nur eine Lösung gab: Die Bananenmarktordnung mußte so schnell wie möglich verschwinden. Der Markt mußte wieder frei werden, um sich selbst regulieren zu können. Auf einem freien Markt brauchen wir keine Beamten, um zu wissen, wie dick, lang und schwer eine Banane zu sein hat.

Marrakesch – neue Gefahr oder neue Chance

Im Verlauf des Aprils 1994 verstärkte ich meinen Kampf gegen die Bananenmarktordnung. Ich führte Telefonate, beriet mich mit unseren Rechtsanwälten, verfaßte Pressenotizen und Briefe und suchte nach immer neuen Wegen, die Bundesregierung von der Notwendigkeit einer scharfen Verurteilung der Bananenmarktordnung zu überzeugen.

Der Grund für diese neuerliche Kampagne waren die Abschlußverhandlungen der Uruguay-Runde, die vom 12. bis 15. April in der marokkanischen Stadt Marrakesch stattfanden. Bisher waren im Rahmen des internationalen Zoll- und Handelsabkommens GATT bereits sieben große Verhandlungsrunden zum Abbau von Zöllen und anderen Handelshemmnissen durchgeführt worden. Die Uruguay-Runde, die nun zum Abschluß kommen sollte, hatte im September 1986 in Punta del Este begonnen.

Die Repräsentanten der 123 Länder sollten nach über siebenjähriger Verhandlungsdauer ihre Unterschriften unter ein 450seitiges Abkommen setzen. Dieses Abkommen sollte ab 1. Januar 1995 gelten und dann erstmals alle wichtigen Bereiche des Welthandels abdecken. Nach Schätzungen von GATT- und OECD-Experten würde der Welthandel dadurch bis zum Jahr 2005 einen Auftrieb von rund 745 Milliarden Dollar erhalten.

Allein die Europäische Union könnte sich nach Berechnungen der Weltbank auf ein Handelsplus von 80 Milliarden Dollar freuen. Für die Bundesrepublik wurde eine mittelfristige Zunahme der Kaufkraft von rund 20 Milliarden Dollar erwartet.

Wirtschaftsexperten sprachen bereits von einem Schub für die sich gerade erholende Weltwirtschaft. Vor allem die Industrien in Westeuropa und in den USA würden von den Handelserleichterungen profitieren. Alle größeren Industriestaaten und viele Entwicklungsländer würden ihre Zollsätze dann um mindestens 33 Prozent senken. Als besonders wichtig wurden dabei von den Europäern die Zugeständnisse der USA gewertet. So würden die Amerikaner ihre Zölle auf EU-Exporte um rund 50 Prozent reduzieren.

Auch für mich bestand kein Zweifel an der Bedeutung dieses Vertragswerks, und doch hatte ich das Gefühl, daß der Leser durch solche Lobeshymnen getäuscht wurde. Er bekam nur ein Ergebnis präsentiert, das zu beurteilen ihm weitgehend unmöglich war.

Tatsächlich nämlich bestand die Gefahr, daß das von der EU-Kommission mit einigen lateinamerikanischen Ländern getroffene *Framework-Agreement* bezüglich der Exportlizenzen in das Vertragswerk der Uruguay-Runde aufgenommen werden sollte, was ihm einen zumindest quasi-völkerrechtlichen Status eingeräumt und die Vorstöße der Gegner der Bananenmarktordnung erschwert, wenn nicht gar unmöglich gemacht hätte. Uns dagegen ging es darum, daß Deutschland einen völkerrechtlichen Vorbehalt in die Schlußakte einbrachte. Wie unsere Rechtsberater festgestellt hatten, standen die Aussichten, dies zu erreichen, gut.

Danach soll das Rechtsinstitut des Vorbehalts es einem Staat ermöglichen, auch dann Partei eines Kollektivvertrags zu werden, wenn ihm dessen Inhalt nicht zur Gänze annehmbar erscheint. Grundsätzlich kann jeder Staat bei der Unterzeichnung, Ratifizierung, Annahme oder Genehmigung eines völkerrechtlichen Vertrages eine Erklärung abgeben, daß er die Rechtswirkung einzelner Vertragsbestimmungen in der Anwendung auf sich ausschließen oder abändern will. Zulässigkeit und Wirkung von Vorbehalten sind allgemein im Wiener Übereinkommen über das Recht der Verträge von 1969 geregelt.

Die **Europäische Marktordnung für BANANEN** ist illegal.
Auch aus diesem Grund darf sie nicht Bestandteil der Schlußrunde der **GATT-Verhandlungen** in Marrakesch werden.
Wenn die BRD am 14./15.April 1994 den GATT-Vertrag unterschreibt, dann darf sie dies nur tun, wenn sie ausdrücklich die Bananenmarktordnung als Bestandteil des Vertrages ausschließt und einen

völkerrechtlichen Vorbehalt

einlegt.

Herr Bundeskanzler Kohl,

machen Sie Schluß mit dem üblen Spiel der EU-Kommission in Brüssel. **Hauen Sie mit der Faust auf den Tisch**, und stoppen Sie die

Strategie der Desinformation Brüssels
und
der illegalen Schritte der dortigen Bürokratie

zu Lasten

- des deutschen Verbrauchers und Steuerzahlers
- der deutschen Wirtschaft
- der Seeschiffahrt, des Handels, des Imports, des Landtransports
- des deutschen Fruchthandels
- einiger diskriminierter lateinamerikanischer Länder

Wer das Vorgehen der Kommission billigt, steht auf der falschen Seite.

Wir brauchen kein Europa, das

- den **Steuerzahler dreifach zur Kasse bittet**
- den Welthandel behindert
- gegen das GATT verstößt
- einzelne Staaten diskriminiert
- künstliche Gewinntransfers verursacht an wenige zu Lasten vieler
- illegale Schritte unternimmt.

Wir wollen **Recht und Gerechtigkeit,** und das will auch der **Wähler!**
Schluß mit dem Treiben in Brüssel. Weg mit der Bananenmarktordnung.
Die Bundesregierung darf in Marrakesch jetzt keine Fehler machen.

ATLANTA Aktiengesellschaft, Bremen
Bernd-Artin Wessels
Vorsitzender des Vorstandes

Vorrangig kommt es jedoch auf den Inhalt des konkreten Vertrages an. Enthält zum Beispiel der Vertrag wie in diesem Fall die Schlußakte der Uruguay-Runde keine eigenen Regelungen über die Zulässigkeit von Vorbehalten, so können die Vorbehalte dennoch wirksam werden, wenn sie von einem Staat vorgebracht und mindestens von einem weiteren angenommen werden. Das heißt, wenn Deutschland einen Vorbehalt ausdrückt, genügt es, wenn zum Beispiel die Niederländer diesen annahmen. Auch Wirtschaftsminister Günter Rexrodt mußte diese Rechtslage bekannt sein, denn er hatte seine Rechtsberater ebenfalls gebeten, die Frage von Vorbehalten zu völkerrechtlichen Verträgen zu prüfen.

Meine Anzeige am 11. April 1994 in der *Frankfurter Allgemeinen Zeitung* sollte also vor allem dazu dienen, die Öffentlichkeit wachzurufen und der Bundesregierung zu signalisieren, daß sie auf dem richtigen Kurs liege und diesen nicht verlassen dürfe.

Unerwartete Unterstützung erhielt ich noch am selben Tag von Otto Graf Lambsdorff, dem Ehrenvorsitzenden der FDP, der sich in einer Pressemitteilung meiner Argumentation anschloß. Graf Lambsdorff schrieb: »Mit einer Mogelpackung und gezieltem Verhandlungspoker versucht die Kommission der EU, ihre protektionistische und nach wie vor umstrittene Bananenmarktordnung über alle Hürden zu peitschen. Hiergegen gilt es, mit allen zur Verfügung stehenden Mitteln anzugehen. Ich, Graf Lambsdorff, begrüße, daß Bundeswirtschaftsminister Dr. Rexrodt in Marrakesch entsprechend handeln will, und unterstütze ihn und die Bundesregierung hierbei uneingeschränkt.«

Auch der wirtschaftspolitische Sprecher der CDU/CSU forderte die Bundesregierung im Namen seiner Fraktion auf, die Sondervereinbarungen zwischen der Europäischen Union und den lateinamerikanischen Staaten abzulehnen. Damit hatten wir auch die CDU/CSU voll auf unserer Linie.

Die Schlußrunde der GATT-Verhandlungen

In Marrakesch trafen die Delegierten der 123 Staaten zusammen, und endlich begann man sich auch in Bonn zu regen. Was bereits vor Monaten massiv hätte geschehen sollen, das wurde nun am ersten Verhandlungstag zögerlich und vorsichtig in Angriff genommen. Bundeskanzler Helmut Kohl sandte einen Brief an den Präsidenten der EU-Kommission, Jacques Delors.

Der Brief hob an mit den Worten: »Sehr geehrter Herr Präsident, lieber Jacques, ich bin sehr besorgt über die Auswirkungen der EG-Bananenpolitik für die deutschen Verbraucher wie für den deutschen Handel.« Kohl verwies auf die gestiegenen Bananenpreise sowie die Lage des in seiner Existenz bedrohten Importhandels, die durch das vorgesehene Exportquoten- und Lizenzsystem noch mehr verschlechtert werde. Sodann erklärte er, daß die Mehrzahl der Länder Lateinamerikas, die von der neuen Regelung empfindlich getroffen werde, dies als protektionistischen Rückfall auffassen werde. »Hieraus können sich erhebliche Risiken für die anstehende Ministerkonferenz in Marrakesch ergeben.« Nach diesem Hinweis schloß der Brief mit der nachdrücklichen, gleichwohl wenig konkreten Bitte, »auf eine auch aus deutscher Sicht akzeptable Lösung in der Frage der Bananenmarktordnung hinzuwirken«.

Wenn dieser Brief auch grundsätzlich mit unserer Zielsetzung übereinstimmte, so ließ er doch die erwartete Härte und klare Aussage vermissen. Dasselbe galt im Grunde auch für den Brief von Wirtschaftsminister Rexrodt an den Vizepräsidenten der EU-Kommission, Sir Leon Brittan.

In breiten Worten gab Rexrodt darin seiner Enttäuschung Ausdruck über die von der Kommission mit einigen lateinamerikanischen Staaten geschlossene Vereinbarung. Die durch die Gemeinsame Marktordnung verursachte unbefriedigende Situation auf dem Gemeinschaftsmarkt werde dadurch nicht verbessert, sondern verschlechtert. Er stellte fest, daß die Kommission für diese Vereinbarung keine ausreichende Absicherung im Rat habe. Schließlich redete Rexrodt dem »lieben Sir Leon« ins Gewissen: »Die Bundesregierung hat Sie, Herr Kommissar, bei Ihren schweren Verhandlungen in der Uruguay-Runde mit allen Kräften stets unterstützt. Die Vereinbarung mit den lateinamerikanischen Staaten entspricht nicht der Zielsetzung der Uruguay-Runde, zu einer weltweiten Liberalisierung des Handels beizutragen, sondern bewirkt geradezu das Gegenteil. Das sachlich wie verfahrensmäßig unvertretbare Vorgehen der Kommission untergräbt das Vertrauensverhältnis zwischen Mitgliedsstaaten und Kommission und schadet der öffentlichen Unterstützung für das europäische Einigungswerk.« Auch dieser Brief schloß mit der nachdrücklichen Bitte, »sich für eine Lösung einzusetzen, die die wichtigsten Interessen aller betroffenen Länder besser berücksichtigt«.

Angesichts der fehlenden Argumentationsschärfe, die den Verfassern der Briefe durchaus bewußt sein mußte, galt es wiederum, die Fruchthändler zu beschwichtigen. In diesem Sinne schrieb Anton Pfeifer, Mitglied des Bundestages und Staatsminister im Bundeskanzleramt, an den Gesellschafter der *Fruchtimportgesellschaft T. Port* in Hamburg, Hajo Port.

Er versicherte Port, daß die Haltung der Bundesregierung in der Frage der EU-Bananenmarktordnung unverändert sei und der Bundeskanzler angesichts der bevorstehenden GATT-Unterzeichnung in Marrakesch gegenüber Delors erneut die großen Besorgnisse der Bundesregierung über die Auswirkungen der Bananenmarktordnung zum Ausdruck gebracht habe. »Ich hoffe sehr«, beendete Pfeifer seine Ausführungen, »daß die

Kommission ihre aus deutscher Sicht unakzeptable Haltung kurzfristig noch einmal überdenkt.«

Als ich von dem Brief Kenntnis erhielt, verfaßte ich am 13. April 1994 sofort ein Schreiben an Wirtschaftsminister Rexrodt. Ich wollte mich nicht mehr beschwichtigen lassen, sondern den Verantwortlichen mit deutlichen Worten klarmachen, was wir von ihnen erwarteten. Angesichts der aus Marrakesch immer deutlicher verlautenden Drohungen Frankreichs, das GATT-Abkommen über die öffentlichen Beschaffungsmärkte nicht zu unterzeichnen und die französischen Investitionen in den neuen Bundesländern zu stoppen, entschloß ich mich zu einem besonders für Frankreich nicht ungewöhnlichen, aber doch spektakulären Schritt. Ich bat Herrn Rexrodt, »auch gegenüber den Franzosen unmißverständlich zum Ausdruck zu bringen, daß, wenn wir uns dem enormen Druck der Franzosen beugen müssen, weil diese die deutsche Seite auch in der Weise erpressen, daß bei der Ausklammerung der Bananenmarktordnung Investitionen in den neuen Bundesländern gestoppt werden, wir aufrufen werden zum Boykott französischer Agrarprodukte«.

Ich betonte gegenüber Herrn Rexrodt nochmals, daß die deutsche Seite weder den Franzosen nachgeben noch überhaupt Zugeständnisse machen dürfe. Des weiteren gab ich meiner Befriedigung darüber Ausdruck, daß er gegen die Aufnahme der Bananenmarktordnung in das neue Welthandelsabkommen einen völkerrechtlichen Vorbehalt einlegen wolle, und forderte ihn auf, diesen Weg unbedingt zu gehen.

Im Laufe des Tages rief mich Klaus Wesslowski von der *Dole Fresh Fruit Europe* aus Hamburg an. Er war von dem Berater der *Dole*-Gruppe, der zur Zeit in Marrakesch weilte, gebeten worden, in Deutschland eine Pressenotiz gegen die Franzosen zu veröffentlichen, weil deren Druck auf die deutsche Delegation unerträglich sei. Ich riet ihm, eine Pressekampagne zu starten. Er lehnte diesen Vorschlag jedoch mit dem Hinweis auf die Multinationalität seines Unternehmens ab.

Ich wußte, daß dies nur eine Ausrede war. Die wahren Gründe für sein Zaudern waren andere. Zum einen war es nicht leicht, die richtigen Worte zu finden und auch noch die Verantwortung zu tragen. Das wußte ich aus eigener Erfahrung. Erntete man Erfolg, diente man der ganzen Branche; wurde die Unternehmung jedoch ein Mißerfolg, mußte man den Schaden allein tragen.

Zum anderen konnte *Dole Fresh Fruit* nicht hart gegen die Franzosen vorgehen, weil das Unternehmen selbst französische Beteiligungen erworben hatte und damit indirekt Produzent von Bananen in AKP-Staaten war, die mit dem Mutterland Frankreich seit vielen Jahren besondere Verträge gezeichnet hatten. Man konnte somit nicht gegen sich selbst zu Felde ziehen.

Ich erklärte ihm also, was ich selbst unternommen hatte, und stellte ihm frei, meinem Beispiel zu folgen. Dieselbe Antwort erteilte ich auch Herrn Raes von der Firma *Léon van Parijs* in Antwerpen, der die ecuadorianische Firma *Bananera Noboa S. A.* in Belgien vertrat und von seinem in Marrakesch weilenden Berater ebenfalls Druck bekam, in der Presse gegen die Franzosen aktiv zu werden.

Nachdem ich den ganzen Tag über ein Telefongespräch nach dem anderen geführt hatte, erhielt ich spätabends noch einen Anruf von unserem eigenen Anwalt Dr. Gerrit Schohe aus Brüssel. Auch er bat mich, eine Pressenotiz zu verfassen, die in Deutschland verteilt werden solle und die er dann nach Marrakesch faxen könne, um die französischen Wortführer unsererseits unter Druck zu setzen. Obwohl es bereits sehr spät war, die Mitarbeiter unseres Sekretariats längst gegangen waren und sich die Presse bereits im Umbruch befand, bemühte ich mich, seinem Wunsch zu entsprechen, und verfaßte in aller Eile folgenden Text:

»Die Verhandlungen in Marrakesch gestalten sich in Sachen Marktordnung dermaßen schwierig wegen des Widerstandes der Franzosen, daß zu fürchten ist, daß aufgrund der Bananenmarktordnung und der damit verbundenen Diskriminierungen zu einem Boykott französischer Produkte in Deutschland aufgerufen wird.

Die Franzosen, mit zu den Drahtziehern der Bananenmarktordnung gehörend, haben in der Vergangenheit bereits massiven Druck über die Europäische Kommission beim Europäischen Ministerrat ausgeübt. Jetzt, wo die Haltung der Deutschen und der Vertreter der Beneluxstaaten sowie Dänemarks etwas stabiler erscheint, gehen die Franzosen offensichtlich so weit, daß sie für den Fall, daß Deutschland bei seiner ablehnenden Haltung bleibt und eine völkerrechtliche Reserve einlegen will, mit Investitionsstopp für geplante Aktivitäten in den neuen Bundesländern drohen.

Die erpresserischen Methoden der Kommssion werden deutlich in der Haltung Frankreichs.

Die Deutschen sollten für den Fall, daß die Franzosen sich wieder einmal durchsetzen, mit Boykotts der französischen Agrarprodukte drohen und diesen Boykott auch durchsetzen, so wie die Franzosen es jahrelang mit den Spaniern gemacht haben.«

Schließlich bat mich Dr. Schohe noch, Kopien der Briefe von Helmut Kohl an Jacques Delors und von Günter Rexrodt an Sir Leon Brittan, die bereits in der deutschen Presse zitiert wurden, in die USA zu faxen, damit die dortige Presse ebenfalls von deren Inhalt Gebrauch machen könne. Wir hofften, daß auf diese Weise auch von seiten der USA mehr Druck auf die EU-Kommission sowie auf jene vier lateinamerikanischen Länder ausgeübt werde, die unter Führung Costa Ricas das illegale *Framework-Agreement* mit der EU-Kommission geschlossen hatten. Dieses Abkommen, das die EU-Kommission im Alleingang initiiert hatte, sollte nun nachträglich am 1. Oktober 1994 dem Europäischen Rat zur Abstimmung vorgelegt und auch dem Europäischen Parlament unterbreitet werden. Erst dann nämlich könnte es tatsächlich rechtskräftig werden. Zu hoffen war jedoch, daß die vier lateinamerikanischen Länder bis dahin das Interesse an dieser Absprache, die sich gegen ihre wirklichen Interessen richtete, verloren. Im Augenblick war es vor allem wichtig zu zeigen, daß die Vereinigten Staaten die deutsche Haltung unterstützten. Unsere Anwälte wollten daher auch selbst noch einmal mit den US-amerikanischen Rechtsanwälten in Marrakesch Kontakt aufnehmen und dabei die mögliche Verordnung 301 der USA als

Sanktion gegenüber Costa Rica, Kolumbien, Nicaragua und Venezuela ins Spiel bringen.

Am nächsten Morgen erhielt ich die Nachricht aus Marrakesch, daß die Bundesregierung auch heute, einen Tag vor der Unterzeichnung des GATT-Vertrages, bis an die Grenzen des Machbaren gehen werde. Unterdessen war jedoch das Gerücht aufgetaucht, Frankreich habe die deutsche Regierung so sehr unter Druck gesetzt, daß diese möglicherweise auf einen völkerrechtlichen Vorbehalt verzichten und sich mit einer »rechtswahrenden Erklärung« begnügen würde.

Hajo Port sandte daher noch am selben Tag einen Brief an das Wirtschaftsministerium in Bonn mit der Bitte, diesen sofort an die Verhandlungsleiter der deutschen Delegation in Marrakesch weiterzuleiten. In diesem Brief hieß es, daß nach Auskunft verschiedener Juristen die Abgabe einer »rechtswahrenden Erklärung« seitens der deutschen Verhandlungsdelegation unzureichend sei. Es bestehe die große Gefahr, daß diese später von Juristen der Kommission und des Europäischen Gerichtshofes als einseitige Willenserklärung bewertet werde. Dann wäre uns allen der Rechtsweg in Luxemburg und Karlsruhe abgeschnitten. Nur eine Ausklammerung der Bananenproblematik aus dem GATT-Papier beziehungsweise ein völkerrechtlich verbindlicher Vorbehalt im GATT-Vertrag selbst sichere die Rechte der deutschen Regierung, der deutschen Verbraucher und Steuerzahler sowie der Marktbeteiligten.

Im Laufe des Tages erfuhr ich, daß unser Verband in Hamburg sich dem Boykott französischer Ware, mit dem ich in meiner Pressemitteilung gedroht hatte, nicht anschließen würde. Ich kündigte daraufhin meinen Austritt aus dem Verband an, dessen bedeutendstes Mitglied und größter Zahler wir waren. Zu diesem Austritt kam es aus verschiedenen Gründen dann allerdings doch nicht.

Abends folgte ich einer Einladung des Bremer Bürgermeisters und Bundesratspräsidenten Klaus Wedemeier ins Rathaus, um die von der Senatskanzlei ausgearbeitete Konzeption für die

Feierlichkeiten zum Tag der Deutschen Einheit anzuhören. Dabei wurde ich von dem französischen Konsul in Bremen, Meyer, angesprochen. Er hatte bereits davon gehört, daß wir möglicherweise französische Agrarprodukte boykottieren würden. Unter vier Augen erklärte ich ihm, daß das Politik sei, die wir betreiben müßten, um unmittelbar vor der Unterzeichnung des GATT-Vertrages die Franzosen von ihrem hohen Roß herunterzuholen und auf der anderen Seite die deutschen Politiker zu stärken. Dies gehe manchmal nur mit entsprechenden Hinweisen, die allerdings dann notfalls auch realisiert werden müßten. Konsul Meyer nahm das zur Kenntnis.

Auf dem Heimweg beschäftigte ich mich in Gedanken wieder mit den Verhandlungen in Marrakesch. In weniger als 24 Stunden würde der GATT-Vertrag unterschrieben sein, und dann hätten wir schwarz auf weiß, ob Wirtschaftsminister Rexrodt tatsächlich bis an die Grenzen des Machbaren gegangen war. Die letzten Meldungen, die ich aus Brüssel erhalten hatte, vermittelten eher den Eindruck, als habe die deutsche Delegation bereits resigniert. Dabei war es für uns von ungeheurer Wichtigkeit, den völkerrechtlichen Vorbehalt in die Akte hineinzubekommen und vor allem die Sondervereinbarung zwischen der EU-Kommission und den lateinamerikanischen Staaten herauszunehmen. Eine rechtswahrende Erklärung allein wäre zu wenig und würde uns in Zukunft bei allen weiteren Schritten sehr schaden. Wenn wir uns die Chance offenhalten wollten, weiterhin gegen die Bananenmarktordnung zu kämpfen, dann durften wir nicht zulassen, daß diese durch den GATT-Vertrag gleichsam völkerrechtlich besiegelt wurde.

Die Enttäuschung

Der Freitag, an dem in Marrakesch die Unterzeichnung des GATT-Vertrages stattfinden sollte, begann für mich bereits um vier Uhr morgens. Bis zum späten Vormittag etwa hatten wir Zeit, auf die Verhandlungen einzuwirken. Danach lag es nur noch in den Händen von Wirtschaftsminister Rexrodt, dem französischen Druck Widerstand zu leisten oder sich zu fügen.

Pünktlich um sechs Uhr erhielt ich einen Anruf von der Redaktion des *Deutschlandfunks*. Sie brachte eine dreißigminütige Informationssendung über das GATT, in der ich zum Thema Bananen Stellung nehmen sollte.

Ich erklärte, daß die deutsche Delegation in Marrakesch zwar höflich sei, aber viel zu abwartend und nicht bestimmt genug. Doch gab ich meiner Zufriedenheit darüber Ausdruck, daß Wirtschaftsminister Rexrodt nach Angaben von Beobachtern gleichwohl eine harte Haltung einnehme. Ich betonte, daß wir mit einer rechtswahrenden Erklärung allein nicht einverstanden seien, sondern in den GATT-Vertrag mindestens ein völkerrechtlicher Vorbehalt eingebaut werden müsse.

Grundsätzlich sei es unsere Zielsetzung, die Bananenmarktordnung aus dem Vertrag ganz herauszunehmen und vor allem das – vorsichtig ausgedrückt – dubiose Agreement zwischen vier lateinamerikanischen Staaten und der Kommission zu eliminieren. Die Vorgehensweise der Kommission in dieser Sache müsse ganz einwandfrei als GATT-widrig angesehen werden, und eigentlich dürfe unter einen GATT-Vertrag keine Unterschrift gesetzt werden, wenn damit GATT-Widriges bestätigt würde.

Schließlich gab ich zu bedenken, daß auch die Amerikaner sich Sanktionen überlegen müßten, die Deutschen sich innerhalb Europas vielleicht neue Handelswege suchen sollten und all dies überhaupt nicht dazu beitragen könne, die vielgepriesene deutsch-französische Freundschaft zu stärken, die Europapolitik der Kommission zu unterstützen und die Richtlinien des GATT auch wirklich einzuhalten. Auch wenn Juristen immer darauf hinwiesen, daß das GATT nur ein Abkommen ohne juristische Bindungen sei, so würde ich dies doch etwas anders sehen, denn man brauche ja nicht weltweite Abkommen zu schließen, wenn man von vornherein wisse, daß es immer wieder schwarze Schafe unter den Mitgliedern gebe, die nichts anderes wollten als ihren Vorteil zu Lasten anderer Mitglieder.

Bereits eine halbe Stunde nach der Sendung klingelte bei mir pausenlos das Telefon. Leute aus ganz Europa, die meinen Beitrag gehört hatten, bestätigten mir meine Aussagen. Gleichzeitig äußerten sie jedoch Bedenken, ob dieser Beitrag nicht zu spät komme.

Die neuesten Nachrichten, die mir gleich darauf zugespielt wurden, stimmten mich jedoch zuversichtlich. Danach hieß es, daß die Differenzen zwischen den einzelnen Mitgliedsstaaten der Europäischen Union im Hinblick auf die Sonderabsprache mit den vier lateinamerikanischen Staaten verblieben, daß der GATT-Vertrag aber trotzdem unterzeichnet werde. Ferner wurde berichtet, daß der belgische Handelsminister Robert Urbain erklärt habe, Belgien wolle den GATT-Vertrag wohl unterzeichnen, aber Vorbehalte hinsichtlich der Bananenmarktordnung machen. Robert Urbain habe die Kommission sehr stark angegriffen und ihre Aktivitäten als Machtshow bezeichnet. Der Bericht enthielt auch einen Hinweis darauf, daß die Vereinigten Staaten diskret interveniert und mit verschiedenen europäischen Ministern gesprochen hätten mit dem Ziel, die Einbringung der Sonderabsprache zwischen der Kommission und den lateinamerikanischen Staaten zu unterbinden, weil dies in der Zukunft nur zu Problemen führen würde.

Um halb acht Uhr strahlte das ZDF eine Sendung aus, in der es hieß, daß Deutschland es ablehne, den GATT-Vertrag zu unterzeichnen. Den Vormittag über wechselten die unterschiedlichsten Meldungen einander ab. Wenn ich nicht so stark in das Geschehen involviert gewesen wäre, hätte ich die Sache beinahe spannend finden können. Doch ich war selbst Akteur in diesem »Kriminalstück«, und wenn ich es mir recht überlege, fiel mir sogar die Rolle des Opfers zu.

Um 12.48 Uhr gab es in Marrakesch eine Einigung zwischen den Deutschen und den Franzosen. Wenige Minuten später lag die Meldung bei mir auf dem Tisch. Danach einigte sich die Europäische Union in letzter Minute auf einen Bananenkompromiß, nachdem sich der Streit zwischen Frankreich und Deutschland zugespitzt hatte. Dieser Kompromiß bestand in einer Erklärung der EU-Delegationen, in der die juristischen und politischen Vorbehalte in der Bananenfrage unter anderem von Deutschland vermerkt wurden. Außerdem solle die EU-Kommission einen »umfassenden Katalog« zur Umsetzung der gesamten GATT-Vereinbarungen aus der Uruguay-Runde in den Ländern der Union vorlegen.

Wie diese Kompromißlösung zu bewerten war, vermochte ich aus dem Stegreif nicht zu sagen. Auch ob diese »Erklärung« ausreichte, um den völkerrechtlichen Charakter zu eliminieren, wußte ich nicht. Sofort klar war mir jedoch, daß wir unser Ziel, die Bananenmarktordnung aus dem Vertragswerk herauszunehmen, nicht erreicht hatten.

Im Laufe des Nachmittags erfuhr ich die Hintergründe, wie der Kompromiß zustande gekommen war. Vorausgegangen war der Einigung ein sogenanntes »Beichtstuhlverfahren«. Dieses lief so ab, daß der amtierende Ratspräsident im Ministerrat jedes Land einzeln befragte und um eine Stellungnahme bat. Meine Befürchtung richtete sich eher dahin, daß die Kommission oder der Ministerrat jedes Land erneut unter Druck gesetzt hatte.

Ich war enttäuscht, und meine Enttäuschung wuchs, nachdem unsere Rechtsanwälte Dr. Erik Undritz aus Hamburg und

Dr. Gerrit Schohe aus Brüssel mir ihre juristische Analyse des Kompromisses übermittelt hatten. Das Ergebnis war das niedrigste, das die Bundesregierung überhaupt erzielen konnte. Im Grunde war es bei der rechtswahrenden Erklärung geblieben, die die Bundesregierung der EU-Kommission zwei Tage vor Unterzeichnung des Vertrages übergeben hatte und von der Wirtschaftsminister Rexrodt noch kurz vorher versichert hatte, daß er sie nicht anstelle eines völkerrechtlich verbindlichen Vorbehalts akzeptieren werde.

Immerhin war das Ergebnis wenigstens insoweit tragbar, daß ich meinen angekündigten Aufruf zum Boykott französischer Produkte nicht zu realisieren brauchte. Es gab in Sachen Bananen bereits genügend handelspolitische Kriegshandlungen, und es lag mir nichts daran, sie durch zusätzliche künstliche Handelshemmnisse zu vermehren. Wonach ich strebte, waren Rechtsstaatlichkeit und Handelsfreiheit.

Nachdem die Franzosen mit der Drohung angerückt waren, den Vertrag über die öffentlichen Beschaffungsmärkte nicht zu unterzeichnen und ihre Investitionen in den neuen Bundesländern zu stoppen, hatte Deutschland nachgegeben zum Nachteil der eigenen Bevölkerung.

Enttäuscht war ich natürlich auch von Wirtschaftsminister Günter Rexrodt, dessen harte Haltung ich begrüßt hatte und der sich nun ebenfalls nachgiebig und schwach gezeigt hatte. Bereits daß er sich auf dieses Beichtstuhlverfahren eingelassen hatte, wertete ich als Eingeständnis der Schwäche. Allerdings war mir klar, daß er »Richtlinien aus Bonn« zu befolgen hatte, denn ich wußte inzwischen, wie er wirklich dachte, nämlich im Sinne des Freihandels.

Das Schicksal wollte es, daß ich gerade an diesem Freitag zahlreiche Zuschriften auf meine Anzeige in der *Frankfurter Allgemeinen Zeitung* vom 11. April erhielt. Die Leser beglückwünschten mich, daß ich Bundeskanzler Helmut Kohl aufgefordert hatte, mit der Faust auf den Tisch zu hauen. Rüdiger Graf von der Schulenburg kommentierte die Anzeige mit einem

»Bravo!« und brachte den Zusatz an: »Und wählen Sie nicht Kohls Partei!«

Wie weit Bundeskanzler Kohl allerdings davon entfernt war, mit der Faust auf den Tisch zu hauen, bewies das Schreiben, mit dem Jacques Delors am Tag zuvor Kohls Brief vom 11. April beantwortet hatte. So konnte nur jemand schreiben, der nicht fürchten mußte, daß Bundeskanzler Kohl auf den Tisch haute.

Der Brief begann wieder mit der üblichen Anrede: »Sehr geehrter Herr Bundeskanzler, lieber Helmut, Du hast mir mitgeteilt, daß Du wegen der Auswirkungen der Gemeinschaftspolitik in bezug auf Bananen besorgt bist.« Es folgten eine Darstellung der Vorgeschichte und die Feststellung, daß der Rat auf Vorschlag der Kommission im Februar 1993 mit qualifizierter Mehrheit eine Verordnung über eine Gemeinsame Marktorganisation für Bananen angenommen habe. »Ich weiß«, schrieb Delors, »daß Deutschland diese Verordnung von Anfang an abgelehnt und beim Europäischen Gerichtshof auf Aufhebung geklagt hat. Der Gerichtshof hat sich bisher zur Sache noch nicht geäußert, hat aber den Antrag der deutschen Regierung auf Erlaß einer einstweiligen Verfügung abgelehnt, was bedeutete, daß die Verordnung unmittelbar geltendes Gemeinschaftsrecht ist.« Und dann bekam der Herr Bundeskanzler noch eine kleine Belehrung: »Übrigens handelt es sich dabei um eine interne Angelegenheit der Europäischen Union, die Sie nicht daran hindern sollte, Ihre aus der Uruguay-Runde resultierenden internationalen Verpflichtungen zu erfüllen.«

Später ging Delors ausführlich auf die Ziele der Verordnung ein, um schließlich festzustellen, daß die Reform des Bananenmarktes zu einem gewissen Preisanstieg auf dem deutschen Markt geführt habe. »Der Preisanstieg für Bananen in Deutschland war auch deshalb so hoch«, erklärte Delors, »weil die deutschen Marktbeteiligten offensichtlich nicht alle von der Gemeinsamen Marktorganisation gebotenen Möglichkeiten genutzt haben, um den deutschen Markt über die ihnen zustehenden Ziehungsrechte hinaus zu versorgen. Bekanntlich können sie ja EG- und AKP-Bananen in jedem gewünschten Umfang kaufen und die von anderen EG-Marktbeteiligten nicht genutzten Ziehungsrechte nutzen.«

Das entsprach ganz einfach nicht der Wahrheit, und Delors mußte sehr wohl bekannt sein, daß es angesichts der geringen und durch langfristige Lieferverträge gebundenen Produktion von EG- und AKP-Bananen nicht möglich war, diese »in jedem gewünschten Umfang zu kaufen«.

Schließlich ging Delors noch auf die Sondervereinbarung der Kommission mit den lateinamerikanischen Staaten ein und meinte, daß es schwer verständlich sei, wie die Erhöhung des EU-Zollkontingents für Dollarbananen um 10 Prozent und die Senkung des Zollsatzes um 25 Prozent nicht zu einer besseren Versorgung des Gemeinschaftsmarktes einschließlich des deutschen Marktes beitragen sollten. Auch würden andere, nicht dem GATT angehörige Ausfuhrländer von der Erhöhung des Zollkontingents und der Senkung des Zollsatzes profitieren. »Sie sind keineswegs gezwungen, ein System von Ausfuhrlizenzen anzuwenden.«

Delors hob vielmehr die Vorteile dieser »Einigung«, wie er es nannte, hervor und erklärte dann: »Die an der Gemeinsamen Marktorganisation für Bananen auf der Grundlage der mit den GATT-Mitgliedern erzielten Einigung vorgenommenen Verbesserungen dürften einem glücklichen Abschluß der Konferenz von Marrakesch förderlich sein, vorausgesetzt, die Europäische Union vermeidet es, den Eindruck zu geben, daß sie die dort gegebenen Zusagen nicht einhalten könnte. Es geht dabei um die Glaubwürdigkeit der Union und um ihren inneren Zusammenhang.«

Dieser Absatz war besonders hinterhältig formuliert, denn die bewußte Sondervereinbarung, von der Delors hier indirekt forderte, daß die Europäische Union sie einhalte, war lediglich von der Kommission getroffen worden und hatte nicht dem Ministerrat vorgelegen. Hier wurde ganz deutlich, daß Delors diese Absprache in Marrakesch völkerrechtlich sanktionieren lassen wollte. Daß er sich dabei bereits siegesgewiß über einen glücklichen Abschluß der Konferenz äußerte, bewies, wie sehr er davon überzeugt war, daß Deutschland seinen Widerstand aufgeben werde. Die Wirklichkeit gab seiner Überzeugung schließlich recht.

Vorbereitung auf Luxemburg

Nach der Enttäuschung von Marrakesch quälte mich immer mehr die Frage, ob Rechtsanwalt Jochim Sedemund von der Kölner Anwaltssozietät, die die Bundesregierung mit der Ausarbeitung der Klage vor dem Europäischen Gerichtshof beauftragt hatte, uns in der Anhörung am 20. April richtig vertreten werde. Mit »wir« meine ich vor allem den deutschen Fruchthandel. War Sedemund von der Bundesregierung ausreichend instruiert worden? Wußte er, worauf es in der Verhandlung ankam und welche Schwerpunkte er in seinem Plädoyer setzen mußte?

Hinter vorgehaltener Hand hörte ich, daß die Sozietät von Herrn Sedemund von der Bundesregierung nur etwa 50 000 Mark Honorar für diesen Auftrag erhielt. Das war für einen so bedeutenden und komplizierten Fall extrem wenig. Die Kanzlei konnte kaum noch ein wirtschaftliches Interesse daran haben, die Bundesregierung zu vertreten und die nötige Zeit in die Vorbereitung zu investieren.

Gleichwohl unternahmen wir alles, um Herrn Sedemund mit Material zu versorgen. Auch wenn er nicht alle Informationen in seinem Plädoyer verarbeiten konnte, so war es doch wichtig, daß er darüber Bescheid wußte, um auf eventuelle Fragen antworten zu können. Es lag mir sehr daran, daß er in seiner Argumentation nicht nur wiedergab, was ihm die Bundesregierung vorlegte, sondern die Möglichkeit erhielt, sich selbst ein Bild zu machen.

Wir wollten beweisen, daß es nicht möglich war, regelmäßige

und dauerhafte Importbeziehungen zu Lieferanten von EU- und AKP-Bananen aufzubauen. Aufgrund der seit Jahren bestehenden Allianzen und Verträge schien es bisher noch keinem Altimporteur von lateinamerikanischen Bananen gelungen zu sein, ständige Verbindungen zu AKP-Lieferanten oder EU-Produktionsländern aufzubauen. Es war daher in der Praxis nicht möglich, den Mengenverlust an Dollarbananen durch den Zukauf von EU- oder AKP-Bananen auszugleichen.

Dieser Punkt war sehr wichtig, da die Möglichkeit des Zukaufs von der Kommission stets als Argument zur Verteidigung der Bananenmarktordnung vorgebracht wurde. Dasselbe galt für die Einfuhr von Dollarbananen über das Kontingent hinaus, die zu einem Zollsatz von 850 ECU pro Tonne gestattet war. Es gab auf dem Markt keinerlei spürbare Einfuhren außerhalb des Kontingents, denn es wäre völlig unklug, zusätzliche Mengen zu importieren und dafür 170 bis 180 Prozent Zoll zu bezahlen. Einen solchen Betrag konnte man niemals auf die Preise umlegen.

Vor allem aber ging es mir darum, die unerwünschten Folgen der Bananenmarktordnung deutlich zu machen. Hierzu zählten besonders die verschiedenen Formen des Lizenzhandels, die sich entwickelt hatten und immer neue Blüten trieben. Da gab es die Abtretung von Lizenzen zur Ausnutzung im eigenen Namen, die Ausnutzung von Lizenzen in fremdem Namen, die Einfuhr im Namen des Lizenzinhabers und den Weiterverkauf der eingeführten Ware an den Altimporteur für drei, vier, fünf Dollar pro Karton und mehr.

Anhand von zahlreichen Bestätigungsschreiben, Lieferscheinen und Rechnungen konnten wir nachweisen, daß die Altimporteure von lateinamerikanischen Bananen tatsächlich rund die Hälfte ihrer verlorenen Mengen im Wege des Lizenzkaufs zurückerwerben mußten, um überhaupt eine Kostendeckung im mengenabhängigen Fixkostenbereich zu erreichen. Das heißt, auf dem Wege des Lizenzhandels wurde das Geld am hiesigen Markt absorbiert und kam nicht etwa den Lateinamerikanern zugute, sondern wurde in die Kassen der Importeure in Frankreich, Spanien und England gespült, die von der Kommission die Lizenzen zu unseren Lasten zugeschustert bekamen und damit nichts anderes anfangen konnten, als sie zu verkaufen. Beschönigend könnte man diesen Handel Gewinntransfer nennen, tatsächlich aber mußte man fragen, ob nicht eher eine kriminelle Handlung vorlag.

Eine weitere wichtige Frage war die Preisentwicklung. Auf den geschützten Märkten konnte von einem dramatischen Preisverfall nicht mehr die Rede sein, denn die Preissenkung in England und Frankreich betrug 1993 im Vergleich zu 1992 nur etwa zwischen 5, 15 und maximal 20 Prozent. In der Bundesrepublik dagegen hatten wir seit Inkrafttreten der Bananenmarktordnung einen Preis für Bananen, der etwa um 80 Pfennig pro Kilogramm höher lag als in den Vorjahren. Je nach Ausgangswert bedeutete das eine Preissteigerung von 60 bis 70 Prozent. Außerhalb der Europäischen Union zeigten sich wiederum fallende Tendenzen im Preisniveau. In Skandinavien zum Beispiel lagen die Preise für Bananen deutlich unter den Preisen der EU-Mitgliedsländer. Bisher war dies umgekehrt gewesen.

Nach wie vor aber beschäftigte mich die Frage, wem diese Bananenmarktordnung nun eigentlich nützte; ich wollte der Sache in jedem Fall auf den Grund gehen. Wir führten daraufhin in Brüssel Gespräche mit hochrangigen EU-Beamten, die interessante Details offenbarten. Unsere Informanten waren teilweise vorher jahrelang in leitender Funktion in den Bundesministerien tätig, bevor sie nach Brüssel versetzt wurden und dort an entscheidenden und vorbereitenden Sitzungen im Hinblick auf die Bananenmarktordnung teilnahmen.

Man war also bestens informiert und erklärte, daß eine Marktordnung für Bananen – unabhängig von ihrer Beschaffenheit – unvermeidlich sei, daß aber die Aufteilungsregelung einer Überarbeitung bedürfe. Zugleich wurde betont, daß Kommissar Schmidhuber, der für die Finanzen der Gemeinschaft zuständig war, die Bananenmarktordnung in ihrer geltenden Form zum

Schutz der Gemeinschaftsproduktion als geboten ansehe. Auf die direkte Frage, wer von der Bananenmarktordnung in ihrer jetzigen Form profitiere, kristallisierten sich vier Gruppen heraus:

Da war zunächst einmal die angelsächsische Fruchthandelsunternehmensgruppe *Geest*. Stewart Anderson von *Geest* soll der Architekt der Bananenmarktordnung gewesen sein. Dieser habe die englische Regierung auf die Interessen seiner Gruppe eingeschworen. Der eigentliche Verfasser der Bananenmarktordnung sei der inzwischen nach England zurückgekehrte britische Kommissionsbeamte Rander gewesen, den die britische Regierung eigens bei Generaldirektor Alexander Tilgenkamp plaziert habe.

Zur zweiten Interessengruppe gehörten Martinique und die Kanarischen Inseln. Frankreich habe ernste Sorgen, daß die Bevölkerung dort um ihre Lebensgrundlage fürchte und es zu Unruhen komme, wenn etwas an der Bananenmarktordnung geändert werde. Der Lebensstandard auf Martinique müsse durch ständige Schiffslieferungen aus Frankreich gesichert werden. Dies sei nur möglich, wenn die Containerschiffe auf ihrem Rückweg nach Frankreich Bananen mitnähmen.

Diesen Argumenten, die auch anläßlich einer Einladung der französischen Regierung nach Martinique vorgetragen worden waren, konnte ich nicht folgen. Es gab große Gesellschaften, die sich inzwischen finanziell auf Martinique und Guadeloupe engagiert hatten und denen nur bedingt daran gelegen war, einen solchen ausschließlichen Pendelverkehr aufrechtzuerhalten.

Die dritte Interessengruppe fand sich unter den Fruchthändlern Frankreichs und Spaniens. Diesen gehe es darum, an die lateinamerikanischen Bananen heranzukommen. Daher war ihnen auch an der Beibehaltung der gegenwärtigen Lizenzaufteilung sehr gelegen. Der französische und spanische Fruchthandel habe den 30prozentigen Anteil wie ein Gottesgeschenk erhalten. Dies entspricht in der Tat den Gegebenheiten.

Die vierte Gruppe schließlich waren die sogenannten »Interprofessions« in Frankreich. Dabei handelt es sich um Einkaufsgemeinschaften. Mir ist bekannt, daß nach der Bananenmarktordnung den Gemeinschaftserzeugern die Preise von 1991 durch Gemeinschaftsbeihilfen gesichert werden. Der Handel in Frankreich hat daraufhin erkannt, daß man mit den Lieferanten beliebig niedrige Preise vereinbaren und entsprechend hohe Beihilfen einkassieren kann. Diese Masche ist inzwischen bei den »Interprofessions« gang und gäbe.

Nach diesen Informationen war mir klar, daß Frankreich sich mit einem weniger einschneidenden Modell einer Marktordnung für Bananen niemals zufriedengeben würde. Es wurde auch bestätigt, daß Jacques Delors eisern auf der Beibehaltung der Bananenmarktordnung in ihrer jetzigen Form bestehe. Seine Macht sei allerdings im Sinken begriffen, weil er bald aus dem Amt ausscheide.

Unser Anwalt, Dr. Schohe, unterhielt sich mit seinen Gesprächspartnern auch über den bevorstehenden Prozeß vor dem Europäischen Gerichtshof in Luxemburg. Er äußerte die Hoffnung, daß die Verfahrensrügen der Bundesregierung greifen würden. In diesem Fall werde der Gerichtshof die Einfuhr- und Aufteilungsregelung möglicherweise nicht für ungültig erklären, wohl aber den Organen der Europäischen Union eine Frist für ein neues und einwandfreies Gesetzgebungsverfahren setzen. Dr. Schohe wollte daher wissen, ob dann möglicherweise mit einer Sperrminorität im Rat zu rechnen sei. Dies nahmen informierte Kreise als sicher an, fügten jedoch hinzu, daß es der Kommission immer wieder gelinge, einzelne Länder durch Gewährung von Sondervorteilen aus den jeweiligen Ablehnungsfronten herauszubrechen.

Nach diesen Informationen blickte ich der Verhandlung vor dem Europäischen Gerichtshof mit ziemlicher Ernüchterung entgegen. Wir kämpften nicht einfach um unser Recht auf freien Handel, sondern wir kämpften hier gegen eine Lobby an, die es von Anfang an viel besser verstanden hatte, ihre Interessen durchzusetzen, und die auch ihre einmal erworbenen Vorteile nicht kampflos aufgeben würde.

Die Verhandlung vor dem Europäischen Gerichtshof

Die Verhandlung der Rechtssache C-280/93, wie das Aktenzeichen lautet, mit dem der Europäische Gerichtshof in Luxemburg die Klage der Bundesrepublik Deutschland gegen die EU-Kommission und den Rat der Kommission bezeichnet hatte, fand am Mittwoch, dem 20. April 1994, um 9.45 Uhr statt. Ich wollte noch am Vorabend mit Rechtsanwalt Jochim Sedemund, der im Namen der Bundesrepublik das Plädoyer halten würde, zu einem Gedankenaustausch zusammentreffen. Sedemunds Partner war Mitglied des Aufsichtsrates unserer *Atlanta*-Gruppe.

Ich flog am späten Dienstag nachmittag via Amsterdam nach Luxemburg und traf um neun Uhr abends im Hotel Sofitel ein. Dort befanden sich bereits Herr Ahlers, unser Mitarbeiter aus der Abteilung Personal, Verwaltung und Recht, der sich seit Monaten fast ausschließlich mit der Bananenmarktordnung befaßte, sowie Herr Weichert von der *Internationalen Fruchtimport Gesellschaft Weichert & Co.*, der seinerzeit mit uns zusammen vor dem Europäischen Gerichtshof Klage erhoben hatte und daher auch jetzt großen Anteil an der Verhandlung nahm. Später kamen dann noch unsere Anwälte Dr. Gerrit Schohe und Dr. Erik Undritz mit seinem Sohn Dr. Undritz jr. Alle diese Herren hatten sich im Vorfeld der Verhandlung sehr intensiv mit den Rechtsfragen der Bananenmarktordnung auseinandergesetzt und erwarteten mit Spannung die morgige Verhandlung, der sie wie ich als Zuhörer beiwohnen wollten.

Mir blieb jedoch nur Zeit für eine kurze Begrüßung. Dann

fuhr ich gleich mit dem Taxi weiter zu dem etwa zehn Kilometer entfernten Sheraton-Hotel, um Herrn Sedemund zu erwarten. Dieser war der einzige aus unserer Gruppe, der am nächsten Tag zu Wort kommen würde. Er hatte mir bereits am Telefon erklärt, daß er den Tag über noch viele Anrufe aus den Ministerien erhalten habe und erst spät mit dem Auto in Luxemburg eintreffen werde. Mir war es aber sehr wichtig, ihn unbedingt noch vor der Verhandlung zu sehen, denn ich befürchtete, er könne in denselben Sog hineingeraten wie die Bundesregierung, die ja bisher in ihrer Argumentation sehr schwach und daher erfolglos auf der ganzen Linie gewesen war.

Am Telefon machte Sedemund einen guten Eindruck auf mich. Er bestätigte meine Einschätzung, daß die Bundesregierung bei den GATT-Verhandlungen in Marrakesch praktisch nichts erreicht habe. Ich wunderte mich über diese Zustimmung, denn noch vor wenigen Tagen hatte er geäußert, daß das Ergebnis für die deutsche Seite gar nicht so schlecht gewesen sei. Seine Meinungsänderung entschuldigte Sedemund mit dem Hinweis, daß er ja nun einmal die Bundesregierung vertrete und von dort seine Richtlinien erhalte, eine merkwürdige Feststellung, die mich aufhorchen ließ und es mir um so dringlicher machte, ihn zu sehen. Vielleicht tat ich ihm unrecht, und er hatte tatsächlich das Ziel, uns zu helfen. Aber während ich wartete, gingen mir wieder all die Gedanken durch den Sinn, und ich fragte mich, welches Gewicht den Äußerungen, die die Bundesregierung in der Öffentlichkeit und mir gegenüber abgab, tatsächlich beizumessen war. Welches Spiel wurde hinter den Kulissen gespielt?

Kurz nach 23 Uhr traf Sedemund ein, und wir tranken in der Bar einen offenen Rotwein, bekamen Oliven und die üblichen gesalzenen Erdnüsse vorgesetzt und versuchten, eine Unterhaltung zu beginnen. Unterdessen waren auch die Herren Dr. Schohe, Dr. Undritz, Weichert und Ahlers nachgekommen.

Herr Sedemund wirkte überzeugend, fühlte sich aber dennoch in einigen Fragen unsicher, denn eine klare Zielsetzung hatte er von der Bundesregierung nicht erhalten. Ich empfahl ihm, vor allem den Lizenzhandel anzuprangern und auf eine Neuaufteilung der Lizenzen zu drängen. Er solle fordern, daß den traditionellen Importeuren von Dollarbananen zukünftig 90 Prozent der Importmenge zukomme und den Importeuren von EU- und AKP-Bananen nur 10 Prozent, in die dann auch die Newcomer einzubeziehen wären. Sollte es uns nicht gelingen, die Bananenmarktordnung gänzlich aus der Welt zu schaffen, so war eine gerechtere Aufteilung der Lizenzen das mindeste, was wir erreichen mußten.

Am nächsten Morgen begaben wir uns gleich nach dem Frühstück zum Gerichtsgebäude, um für die Verhandlung gute Plätze zu reservieren. Es wurden viele Journalisten, Fruchthändler, Beamte, Juristen und sonstige Besucher erwartet, und der Gerichtssaal, der nur 130 Personen faßte, war bald überfüllt.

Die Stimmung im Saal war erstaunlich entspannt. Locker berieten sich Alexander Tilgenkamp und andere Beamte und Mitglieder der EU-Kommission mit ihrem Rechtsvertreter Prof. Dr. Bernard Schloh. Unser Erscheinen wurde von ihnen mit einem süffisanten Lächeln quittiert. Aber auch die Vertreter der Klageseite gaben sich gelassen.

Um 9.43 Uhr betraten die fünf Richter den Saal. Alle Anwesenden erhoben sich, und die Sitzung wurde eröffnet. Etwa dreißig Simultandolmetscher übertrugen die Einführungsstatements in alle Sprachen der Union, und über ein Kopfhörersystem konnte man sich in die gewünschte Übersetzung einschalten. Dann rief der Kanzler des Gerichts zur Sache auf, und Rechtsanwalt Sedemund erhielt das Wort.

Im ersten Teil, in dem er zum Sachverhalt sprach, erinnerte er daran, daß der Europäische Gerichtshof seinerzeit den Antrag der Bundesregierung auf einstweilige Verfügung zurückgewiesen habe, weil die Prognosen noch nicht sicher gewesen seien. Inzwischen lägen nun genaue Angaben vor, wie sich die Reduzierung der bisher in die Europäische Gemeinschaft importierten Dollarbananen auf 2,5 Millionen Tonnen ausgewirkt habe. Er betonte, daß die Preise auf Großhandelsebene zwischen 60 und 70 Prozent nach oben geschossen seien und auch die Verbraucherpreise um 40 bis 50 Prozent höher lägen als zuvor. Er erinnerte ferner daran, daß die Kommission es wörtlich als Katastrophe bezeichnet habe, wenn der Verbrauch tatsächlich um 25 Prozent sinken würde, daß dieser Prozentsatz aber als Mindestprozentsatz für die Bundesrepublik inzwischen zutreffe.

Ferner erwähnte er, daß unsere *Atlanta*-Gruppe bereits acht von vierzig Niederlassungen habe schließen und mehrere hundert Leute entlassen müssen. Die Auswirkungen bei vielen mittleren und kleinen Unternehmen seien relativ gesehen aber noch schlimmer, man könne sie nur nicht alle direkt erfassen. Insgesamt seien in der Bundesrepublik bereits mehrere tausend Arbeitsplätze verlorengegangen, und derart schwerwiegende soziale Folgen seien völlig unverhältnismäßig und mit den Zielen der Marktordnung unvereinbar.

Herr Sedemund erklärte, und es freute mich, diese Feststellung einmal von deutscher Seite zu hören, daß der Rat und die Kommission Dinge behaupteten, die einfach nicht stimmten. Dazu gehöre auch die Veränderung der Verkehrsströme. Aufgrund der Bananenmarktordnung seien etwa 50 Prozent der Verkehrsströme, die mit dem Bananengeschäft zusammenhingen, verlagert worden, und zwar sowohl auf See wie per Bahn und per LKW.

Schließlich widerlegte Herr Sedemund das von der Kommission immer wieder vorgebrachte Argument, die deutschen Fruchthändler könnten auf EG- und AKP-Bananen ausweichen. Dezidiert stellte er fest, daß der Zugang zu anderer Ware und damit die Voraussetzung für eine ausreichende Versorgung nicht gegeben sei, weil die EG- und AKP-Bananenproduzenten langjährige Verträge hätten. Damit sei den deutschen Importeuren der Zugang zu jenen 30 Prozent der Lizenzen, die den Importeuren von EG- und AKP-Bananen gegeben worden seien, verwehrt.

In diesem Zusammenhang ging Herr Sedemund auf den Lizenzhandel ein, den er als eine der gravierendsten Auswirkungen der Einfuhrregelung bezeichnete. Er erklärte, daß die Lizenzen der EG- und AKP-Importeure wie Wertpapiere gehandelt würden und teilweise regelrechte Lizenzauktionen stattfänden. Das Volumen des Lizenzhandels bezifferte er auf über 100 Millionen Mark. Allein von Deutschland seien über 50 Millionen Mark für Lizenzkäufe aufgewendet worden. »Diese Folge der Einfuhrregelung ist nach Auffassung der Bundesregierung wirtschaftlich und rechtlich unannehmbar«, betonte Herr Sedemund. »Dafür fehlt es in Art. 39 und Art. 43 des Vertrages an jeglicher Rechtsgrundlage. Derartige Folgen der Marktordnung finden auch in der Öffentlichkeit keinerlei Verständnis mehr und schädigen das Ansehen der Gemeinschaft.«

Nachdem er ausführlich die Auswirkungen der Bananenmarktordnung auf die außereuropäischen Länder dargelegt hatte, verwies Herr Sedemund im zweiten Teil seines Plädoyers, in dem er zur Rechtslage sprach, zunächst noch einmal darauf, »daß das sogenannte Bananen-Protokoll integraler Bestandteil des EWG-Vertrages geworden ist und den gleichen rechtlichen Rang wie der Vertrag einnimmt. Es wird von Art. 239 EWGV erfaßt und ist deshalb auch nicht im Jahre 1992 außer Kraft getreten. Nach Auffassung der Bundesregierung konnte diese Regelung daher nicht durch eine Verordnung, also durch einen Akt des Sekundärrechts, außer Kraft gesetzt werden.«

Damit kam Sedemund auf die Verfahrens- und Formfehler zu sprechen. Er monierte, daß der Rat ohne Kommissionsvorschlag entschieden hätte, das Europäische Parlament nicht konsultiert worden sei und der Rat also sein Mandat überschritten habe.

Gegen Ende seines Plädoyers brachte Sedemund einige allgemeine Fragen aufs Tapet und wandte sich scharf gegen die Kontingentsregelung. So fragte er das Gericht, warum ausgerechnet bei Bananen die sonst übliche Beitragsregelung nicht ausgereicht und der Rat auch noch eine Kontingentierung beschlossen habe. Das Argument des Rates, man habe es hier mit einem Novum zu tun, da die Gemeinschaft bisher noch keine vergleichbare Marktorganisation eingeführt habe und dem Rat deshalb eine »umfassende Ermessensbefugnis« zustehe, bezeichnete Herr Sedemund angesichts zahlreicher anderer Marktordnungen für vergleichbare Produkte wie Ananas, Tabak, Baumwolle und Hopfen als »nicht zutreffend«.

Auch wollte er wissen, wie es angehen könne, daß man ausgerechnet den EG- und AKP-Importeuren Lizenzen für Dollarbananen gebe, wenn man doch die EG- und AKP-Bananen nicht vom Markt verdrängen wolle. Einen krassen Verstoß gegen das Diskriminierungsverbot nannte er ferner die Regelung, daß nur die Importmenge der Dollarbananen, nicht aber der EG- und AKP-Bananen aufgeteilt worden sei. Wirtschaftlich gesehen sei dies eine Enteignung, die im Gemeinschaftsinteresse, nicht aber zugunsten von Konkurrenzunternehmen zugelassen werden könne.

Zum Abschluß kam Sedemund noch einmal auf die für Newcomer vorgesehene Regelung zu sprechen, die er mit den Wettbewerbsvorschriften des Vertrages als unvereinbar bezeichnete. »Die Zuweisung eines Kontingentanteils von nur 3,5 Prozent an die Newcomer ist schon nach der verschwindend geringen Höhe dieses Anteils völlig ungeeignet, das erforderliche Mindestmaß an Wettbewerb zu sichern«, erläuterte er. »Nach Auffassung der Bundesregierung ist dafür nach allen Erfahrungen mit entsprechenden Kontingentsregelungen mindestens ein Anteil von 10 Prozent für Newcomer erforderlich.« Auch prangerte Sedemund die Verwaltungspraxis an, nach der das Kontingent ohne Rücksicht auf eine frühere Tätigkeit im Bananenhandel oder eine entsprechende Qualifikation auf jeden Antragsteller verteilt würde. Die Mengen, die den einzelnen Antragstellern zugewiesen würden, seien dadurch so verschwindend gering, daß sie für ein operationelles Bananengeschäft völlig ungeeignet seien. »Damit wird die ›Newcomer‹-Regelung ad absurdum geführt.«

Nach Sedemunds Plädoyer kam der belgische Vertreter zu

Wort, der sich in kurzer Form den Darlegungen von Sedemund anschloß. Ursprünglich waren auch die Niederlande als Streithelfer der Anklage genannt worden, brachten aber jetzt nichts vor, was psychologisch gesehen sehr schlecht war.

So trat nun Prof. Dr. Schloh als Vertreter des Rates der Kommission vor die Richter. Er ging zunächst auf den Vorwurf der Verfahrens- und Formfehler ein, den er mit wenigen Bemerkungen abtat. Danach kam er auf die Kontingentierung zu sprechen. Er betonte, daß der Rat sich im Grundsatz gegen eine Erhöhung des Gesamtkontingents wende, weil die Beschränkung eine Maßnahme sei, um Präferenzen zu gewähren. Er stellte Rechnungen an, wie sich der Verbrauch möglicherweise entwickeln werde, nannte Importzahlen von 2,3 oder 2,4 Millionen Tonnen, und ich fragte mich, wie sich ein Jurist, der niemals mit einer Banane gehandelt hatte, über Nachfrageentwicklungen auslassen könne. Dann aber brachte er auch noch die diskriminierende Sonderabsprache zwischen der Kommission und den vier lateinamerikanischen Staaten als Beweis für die Bereitschaft der Kommission vor, die Kontingentsmenge zu erhöhen.

Im Hinblick auf den Verteilungsschlüssel der Lizenzen erklärte er, daß man auch in anderen Fällen diese Prozentsätze angewandt habe, daß aber der Rat durchaus bereit sei, diese Frage noch einmal zu verhandeln. Die 10 Prozent, die Sedemund gefordert hatte, bezeichnete er jedoch als zu niedrig. Offenbar wollte der Rat dem Gericht eine Kompromißlösung suggerieren, die dann etwa bei 20 Prozent läge. Damit würde das Kontingent der traditionellen Importeure von Dollarbananen um 10 Prozent erhöht werden. Dies wäre kein Sieg in unserem Sinne, aber doch ein kleiner Erfolg.

Prof. Schloh schloß sein Plädoyer mit der Feststellung, daß die Bananenmarktordnung nach Auffassung des Rates im großen und ganzen gut funktioniere. Doch seine Worte blieben als letzte Bemerkung im Raum stehen, denn das Gericht zog sich zu einer Pause zurück. Anschließend würde man die Streithelfer der Kommission hören, zu denen Griechenland, Spanien,

Frankreich, Italien, Portugal, Großbritannien und Nordirland gehörten. Das letzte Plädoyer würde die EU-Kommission selbst halten. Ich hatte jedoch genug gehört und suchte eilig das nächste Taxi zum Flughafen zu bekommen.

Auf dem Rückflug nach Bremen ließ ich den Vormittag im Geiste Revue passieren. Sedemund hatte zweifellos ein gutdurchdachtes und klar aufgebautes Plädoyer gehalten. Es war zu hoffen, daß die Richter sich seiner Argumentation anschlossen und wir zumindest eine Neuverteilung der Lizenzen erwirken konnten. Schloh hatte in seinem Plädoyer bereits eine Bereitschaft des Rates signalisiert, diese Frage neu zu durchdenken.

Ungünstig für uns war, daß die EU-Kommission als Streithelferin des Rates mit ihrem Plädoyer das letzte Wort haben sollte, denn dieser letzte Eindruck könnte möglicherweise bei den Richtern am intensivsten hängenbleiben. Auch wertete ich es als Nachteil, daß die Sonderabsprache zwischen der Kommission und den vier lateinamerikanischen Staaten von Prof. Schloh in einem positiven Licht dargestellt worden war und diese Ausführung unwidersprochen blieb. Dadurch mußte sich für die Richter zwangsläufig ein verzerrtes Bild ergeben. Daß andere lateinamerikanische Länder bei diesem Deal diskriminiert wurden, die hohe Wahrscheinlichkeit einer Erhebung von Exportsteuern bestand und neue Preiserhöhungen für die deutschen Konsumenten zu erwarten waren, fiel völlig unter den Tisch.

Wog ich die beiden Plädoyers von Sedemund und Schloh gegeneinander ab, so standen die Chancen, daß das Urteil der Richter, die grundsätzlich im Plenum entschieden, zu unseren Gunsten ausfiel, fünfzig zu fünfzig. Aber wenn ich an die Informationen dachte, die unser Anwalt über die Hintergründe der Bananenmarktordnung erhalten hatte, mußten wir bereits einen Teilerfolg als Sieg betrachten. Wurde den Organen der Europäischen Union eine Frist für ein neues Gesetzgebungsverfahren gesetzt, konnte die Bundesregierung zeigen, ob sie es nun endlich fertigbrachte, haltbare Allianzen zu schmieden und eine Sperrminorität auf die Beine zu stellen.

Sicherung internationaler Absatzmärkte

Nach Bremen zurückgekehrt, traf ich zusammen mit meinem Vorstandskollegen Franz Dettenhofer Vorbereitungen für eine Reise nach Osteuropa. Wir hatten bereits unmittelbar nach dem Zusammenbruch der sozialistischen Staaten die Ausweitung unserer Tätigkeiten auf Osteuropa in Angriff genommen. Die Chance, daß sich der Osten politisch und wirtschaftlich dem Westen angleichen könnte, war für mich Motivation genug, um in einem angemessenen und überschaubaren Rahmen Direktinvestitionen in Osteuropa zu tätigen. Ich bin davon überzeugt, daß wirtschaftliche Stabilität zu politischer Stabilität führt und nicht etwa umgekehrt. Deshalb glaube ich auch, daß wir durch Investitionen, Know-how-Transfer und Joint ventures versuchen sollten, die Wirtschaft in den noch jungen Demokratien Mittel- und Osteuropas zu stabilisieren.

Unterdessen aber kam zu diesen Überlegungen noch ein anderes Motiv hinzu. Die Brüsseler Tendenzen, den Markt der Europäischen Union durch Handelsbeschränkungen abzuschotten, ließen Osteuropa mehr und mehr zu einer Alternative werden, um dem internationalen Handel Absatzmärkte zu sichern. Auch die Mehrmengen an Dollarbananen, die bislang nach Westeuropa gingen, könnten mit Leichtigkeit auf den osteuropäischen Märkten abgesetzt werden. Ein weiterer Ausbau unserer osteuropäischen Unternehmungen schien mir daher zwingend geboten, und ich wollte mir vor Ort selbst ein Bild von den Möglichkeiten machen.

Erstes Ziel unserer Reise war St. Petersburg, wo wir vor

rund einem Jahr ein gut funktionierendes Joint venture aufgebaut hatten. Die Nachfrage nach Bananen gestaltete sich in St. Petersburg und Umgebung sogar besser als in vielen anderen Teilen Rußlands. Wenn es uns gelang, unseren Absatz weiter zu erhöhen, könnte sich auch ein Preisniveau herausbilden, das den Vorstellungen Lateinamerikas in etwa entsprach.

Zugleich würde es möglich sein, komplette Schiffe direkt von Lateinamerika in den Golf von St. Petersburg zu bringen. Bisher war die Versorgung der Stadt von Bremerhaven aus über den Landweg erfolgt. Die Verlagerung von der Straße auf das Meer aber würde nicht nur die Frachtkosten reduzieren und wieder eine bessere Auslastung der Kühlschiffe ermöglichen, sondern auch den Lateinamerikanern langfristig helfen, einen neuen Absatzmarkt zu erschließen. Der Weltmarkt für Bananen könnte auf diese Weise wieder etwas stabilisiert werden. Meine Absicht war es daher, in St. Petersburg den Bau eines kleinen Fruchthafens zu fordern, von dem aus wir dann sowohl die baltischen Staaten als auch Moskau beliefern könnten, ohne zusätzliche östliche Grenzen passieren zu müssen.

Nach einer Besichtigung der Läger trafen wir uns mit Andrej G. Stepanow, einem der Stellvertreter des Bürgermeisters von St. Petersburg und Vorsitzenden des Handels- und Nahrungsmittelkomitees, im Grand Café Antwerpen zum Mittagessen. Während der Mahlzeit weigerte sich Herr Stepanow, mit uns über Geschäftsfragen zu diskutieren, aber nach dem reichlichen Genuß von Wodka, Cognac, Champagner und Bier ließ er uns endlich zur Sache kommen.

Wir erklärten ihm, daß wir ein viel größeres Lager bräuchten sowie einen Fruchtterminal im Hafen von St. Petersburg. Stepanow versprach, unsere Vorhaben zu unterstützen, und wir beschlossen eine Kooperation. Unsere Organisation würde sich mit der Planung des Marktes befassen, und unsere Logistiker würden in den nächsten Tagen den Hafen inspizieren. Stepanow war es egal, ob die Investoren Ausländer oder Russen waren oder woher die Ware kam. Hauptsache für ihn war, daß die Bewohner von St. Petersburg genügend zu essen hatten. Für uns aber stand fest, daß wir unseren Bananenumschlag in St. Petersburg vergrößern würden.

St. Petersburg bot sich allein schon von seinen demographischen Daten her besonders gut für den Bau eines Fruchtgroßmarktes an. Die Stadt hat sechs Millionen Einwohner, zu denen noch Touristen kommen, die sich fast ständig in der Stadt aufhalten. Auch stellt sie traditionell ein Importgebiet dar. Denn früher wurden die wichtigsten Lebensmittel wie Getreide, Obst und Gemüse aus anderen russischen Regionen, dem Kaukasus, Armenien oder vom Schwarzen Meer, eingeführt. Im Grunde genommen gab diese Metropole sogar mehr Hoffnung auf einen relativ schnellen wirtschaftlichen Aufschwung als Moskau.

Am nächsten Morgen ging es weiter nach Warschau. Der Bananenmarkt in Polen war im Vergleich zu anderen osteuropäischen Ländern sehr stark entwickelt, wie sich überhaupt die gesamte Stadt in den letzten vier Jahren beträchtlich gewandelt hat. Bereits nach einer ersten Unterredung mit unseren polnischen Geschäftspartnern über die aktuelle Bananenmarktlage bschlossen wir, schnellstens in technische Einrichtungen zu investieren, um neben dem Agenturgeschäft mit grünen, gerade importierten Bananen auch das sogenannte gelbe Geschäft forciert zu betreiben. Der Leiter unseres kleinen Warschauer Betriebes zeigte sich begeistert von dieser Planung.

Die endgültige Vorgehensweise hing allerdings noch von unserem polnischen Partner *Agros* ab. Gleich nach dem Ende des Kommunismus in Polen hatten wir mit *Agros*, damals noch einer der großen Staatsbetriebe und verantwortlich für den gesamten Import des polnischen Staates, ein Joint venture gebildet. Wir sprachen also mit Frau Gaber, der Präsidentin von *Agros*, über die geplanten Aktivitäten unseres gemeinsamen Joint ventures und boten ihr an, mit uns gemeinsam im Bananengeschäft zu investieren oder den Anteil der *Agros* am Joint venture mit zu übernehmen. Eine Entscheidung fiel erwartungsgemäß nicht. Sie war für unseren Entschluß, mehr Reifekapazitäten in Polen zu schaffen, auch nicht auf der Stelle erforderlich.

Wir nahmen noch ein kleines Mittagessen ein und erreichten pünktlich die Maschine nach Moskau, wo wir gegen halb neun Uhr abends ankamen. Unsere Moskauer Geschäftspartner holten uns vom Flughafen ab und brachten uns gleich ins Hotel, wo wir uns ein wenig frisch machen konnten, um dann gegen 23 Uhr mit russischen Kaufleuten im Hotel eine Show zu besuchen.

Im Gespräch mit unseren Moskauer Partnern erfuhr ich, daß die wöchentlich nach Moskau kommenden Bananenmengen sich auf etwa 60 000 Kartons beliefen, was etwa einem Pro-Kopf-Verbrauch von fünf Kilogramm im Jahr entsprechen würde. Wir hatten daran einen Anteil von gut 25 Prozent. Wie man mir mitteilte, lag der tatsächliche jährliche Pro-Kopf-Verbrauch dieser zehn Millionen Einwohner zählenden Metropole jedoch nur bei einem Kilogramm oder darunter. Die übrigen Importmengen würden von Moskau aus im ganzen Land verteilt.

Mittags trafen wir bereits die Entscheidung, unsere in Moskau vorhandenen Reifekapazitäten zu verdoppeln und mittelfristig eine Erhöhung unseres Marktanteils auf 30 bis 35 Prozent anzustreben. Bei einem späten Mittagessen im Hotel Ukraine vereinbarten wir mit unserem Moskauer Joint-venture-Partner, daß er sein bereits erweitertes Lager zusätzlich in das Joint venture einbringe und wir dafür im Gegenwert die technischen Aggregate und Reifekammern finanzieren. Auf diese Weise würden wir schnell und ohne großes Risiko unser Geschäft verbreitern.

Zufrieden mit dem Ausgang unserer Verhandlungen traten wir den Rückflug an. Der Ausbau unserer osteuropäischen Aktivitäten bot im Augenblick die einzige Möglichkeit, um die durch die Bananenmarktordnung vorgeschriebene Reduzierung der Importmenge wenigstens etwas zu kompensieren.

Auf Dauer stellte sich hier die Standortfrage Deutschlands und auch Europas allerdings in einem neuen Licht dar, denn es bestand kein Zweifel, daß durch solche unternehmerische Aktivitäten auch Arbeitsplätze abwanderten. Nicht nur das hohe Lohnniveau würde den Standort Deutschland weniger attraktiv erscheinen lassen. Auch die zahlreichen Handelsbeschränkungen, nicht nur jene auf dem Agrarsektor, würden in den Überlegungen vieler Unternehmer künftig eine entscheidende Rolle spielen. Aber vielleicht wandte sich doch noch alles zum Besseren. In der Bananenfrage jedenfalls war das letzte Wort noch nicht gesprochen. Es blieb die Hoffnung, daß wenigstens die Richter des Europäischen Gerichtshofes frei waren von protektionistischen und dirigistischen Überlegungen und im Sinne eines freien Welthandels Recht sprachen.

Die Empfehlung des Generalanwalts

Voll Spannung wartete ich in den folgenden Tagen, wie die Empfehlung des dänischen Generalanwalts Claus Gulmann an den Europäischen Gerichtshof lauten würde. Nach meiner Überzeugung und allen Vorabinformationen von Verbänden, Medien und zahlreichen Juristen im In- und Ausland konnte die Empfehlung nur positiv in unserem Sinne ausfallen. Gulmann mußte zumindest zu einer starken Überarbeitung der Verordnung raten.

Am Mittwoch, dem 8. Juni 1994, war es endlich soweit. Ich befand mich mit meiner Frau Elke auf dem Rückflug von München nach Bremen, und wir hatten noch die kritischen Anmerkungen von Dr. Theo Sommer, dem Mitherausgeber der Wochenzeitung *Die Zeit,* zur politischen und wirtschaftspolitischen Situation im Ohr. Dr. Sommer hatte anläßlich der Beiratssitzung der *Allianz AG* in München dargelegt, wohin die Europäische Union führen werde und wie sie sich im Reigen der großen Wirtschaftsblöcke behaupten könne. Trotz aller Skepsis war er zu einem erfreulichen Resultat gekommen: Europa werde stark bleiben und wachsen.

Eine positive Grundeinstellung ist immer wichtig, wenn man etwas Positives vollbringen möchte, und so dachte auch ich positiv und sah der Empfehlung von Generalanwalt Gulmann mit Optimismus entgegen. Als ich nach der Ankunft in Bremen mein Büro betrat, lag die Pressemitteilung Nr. 46/94 vom Informationsdienst des Gerichtshofes der Europäischen Union über die »Schlußanträge von Generalanwalt Gulmann vom 8. Juni

1994 in dem Rechtsstreit C-280/93: Bundesrepublik Deutschland/Rat (Bananen)« gleich zuoberst auf einem großen Stapel eingegangener Post.

Sofort begann ich zu lesen: »Die Bundesregierung hat mit Klagschrift vom 14. 05. 93 beim Gerichtshof der Europäischen Gemeinschaft beantragt, Titel IV« etc. über die Gemeinsame Marktorganisation für Bananen, »die seit dem 1. 07. 93 in Kraft ist«, für nichtig zu erklären. Nach der mündlichen Verhandlung vom 20. April 1994 habe der zuständige Generalanwalt, der in dem Verfahren des Gerichtshofes die Funktion eines unabhängigen Rechtsgutachters einnehme, das Ergebnis seines unabhängigen Rechtsgutachtens in dieser Rechtssache mündlich vorgetragen.

Das Gutachten umfaßte nach Angabe der Pressemitteilung 118 Seiten, und Gulmann stellte darin zunächst die tatsächlichen und rechtlichen Fakten des Rechtsstreits dar. Anschließend unterzog er die von der Bundesrepublik angeführten Klagegründe einer juristischen Prüfung. Nach seiner Interpretation stützte die Bundesregierung ihren Antrag auf Nichtigerklärung auf mehrere Gründe, von denen ein Teil Fehler beim Zustandekommen der Verordnung betreffe, nämlich daß die Kommission den Grundsatz, ihre Beschlüsse kollegial zu treffen, mißachtet habe, eine erneute Anhörung des Parlaments erforderlich gewesen sei und der Rat seine Begründungspflichten nicht erfüllt habe.

Die Bundesrepublik führe weiter aus, daß die Verordnung keine hinreichende Rechtsgrundlage in den Artikeln 42 und 43 des EWG-Vertrages habe, da sie entwicklungspolitische Ziele verfolge, und daß sie gegen die im EWG-Vertrag angegebenen Ziele der Agrarpolitik verstoße. Außerdem erkläre sie, daß die Verordnung gegen die Wettbewerbsregeln, die Grundrechte der Unantastbarkeit des Eigentums und der Freiheit der Berufsausübung, das Diskriminierungsverbot, den Verhältnismäßigkeitsgrundsatz sowie die Verpflichtungen der Gemeinschaft aus dem Lomé-Abkommen und dem GATT verstoße und daß ferner der

Rat nicht befugt gewesen sei, das besondere für Deutschland geltende Zollkontingent aufzuheben.

»Als Ergebnis seines Gutachtens schlägt Generalanwalt Gulmann dem Gericht vor, die Klage abzuweisen.« Ich mußte diesen Satz ein zweites Mal lesen, um ihn zu begreifen. Der Europäische Gerichtshof sollte die Klage der Bundesrepublik abweisen! Gulmann sei der Auffassung, daß Umstände vorlägen, die eine Grundlage für die Aufhebung der eingeführten Regelung bilden könnten, daß diese jedoch nicht so offensichtlich und schwerwiegend seien, daß der Rat bei der Wahl der Mittel zur Erreichung des Ziels der Verordnung die Grenze seines Ermessens überschritten habe. Mir verschlug es die Sprache.

Verstöße gegen die Regelungen des GATT, gegen die Grundrechte der Unantastbarkeit des Eigentums, die Freiheit der Berufsausübung und vieles andere mehr betrachtete der Generalanwalt als nicht so schwerwiegende Umstände! Der Gesetzgeber habe sich innerhalb der Grenzen gehalten, die ihm nach der Rechtsprechung des Gerichtshofes für die Feststellung der tatsächlichen Grundlage seines Handelns und sowohl für die Bestimmung der verfolgten Ziele im Rahmen der Vorgabe des Vertrages als auch für die Wahl der geeigneten Mittel gezogen seien.

Dieses Gutachten, das völlig am Kern der Problematik vorbeiging, würde nun einschließlich der Empfehlung den für die Entscheidung zuständigen Richtern des Europäischen Gerichtshofes übermittelt. Der einzige Trost war, daß das Gutachten unverbindlichen Charakter hatte und auch keine Indikation dafür darstellte, wie der Europäische Gerichtshof tatsächlich entscheiden würde. Was aber hatte den dänischen Generalanwalt veranlaßt, so blind an der Realität vorbeizugehen?

Wenn ich mir unsere Zahlen aus den vergangenen Monaten anschaute, dann konnte ich die Auswirkungen der Bananenmarktordnung nur als Katastrophe bezeichnen: Im Zeitraum von Januar bis Mai 1994 hatten wir in Bremerhaven und Rostock zusammen über 45 Prozent weniger Bananen umgeschlagen als im gleichen Zeitraum des Vorjahres, in dem die Marktordnung noch nicht in Kraft war. Auch die von mir immer wieder zur Sprache gebrachten Auswirkungen auf andere Branchen bildeten unterdessen kein an die Wand gemaltes Schreckgespenst mehr, sondern waren handfeste Realität geworden: Die Transportgesellschaft *Intercontainer-Interfrigo* (*ICF*) in Basel und Brüssel zum Beispiel, die sich im Besitz der Europäischen Bahnunternehmen befindet, hatte im Geschäftsjahr 1993 nur 500 000 Tonnen Bananen auf der Schiene transportiert, also 100 000 Tonnen weniger als im Jahr davor.

Nachdem ich mich etwas von dem Schock, den das Gutachten des Generalanwalts bei mir ausgelöst hatte, erholt fühlte, rief ich meine Anwälte an, um unser weiteres Vorgehen zu beraten. Wir kamen überein, daß dieses Gutachten keinesfalls unwidersprochen bleiben dürfe. Vielmehr mußte die Bundesregierung aufgerufen werden, eindeutig gegen dieses Gutachten Stellung zu beziehen.

Mitte Juni, unmittelbar vor den Wahlen zum Europaparlament, verfaßte ich einen offenen Brief an Bundeskanzler Helmut Kohl. Ich bezog mich auf die Stellungnahme des Generalanwalts und betonte, daß seine ungeheuerliche und zugleich in vieler Hinsicht unverständliche Empfehlung nicht kommentarlos im Raum stehenbleiben dürfe. »Die Bundesregierung«, so schrieb ich, »muß deutlich machen, daß sie notfalls (angebliches) Recht beugen wird, sollte der Europäische Gerichtshof der Empfehlung des Generalanwalts folgen. Die Bundesregierung muß dann sogenanntes europäisches Recht ignorieren und nationales Recht gelten lassen. Sie wissen, sehr geehrter Herr Bundeskanzler, daß nach deutscher Rechtsauffassung die Bananenmarktordnung in ihrer derzeit angewandten Form als illegal angesehen wird.«

Kopien des Schreibens sandte ich an Außenminister Klaus Kinkel und Wirtschaftsminister Günter Rexrodt. Ferner fügte ich dem Brief eine Pressemitteilung bei, in der ich die Empfehlung des Generalanwalts schlichtweg als Skandal bezeichnete und noch einmal ausführlich die negativen Auswirkungen der Bananenmarktordnung darlegte. Ich teilte mit, daß die Preise für Bananen in Deutschland um 60 bis 80 Prozent gestiegen seien, während die Gewinne des Handels gravierend gesunken seien und Tausende von Arbeitsplätzen aufgegeben werden mußten.

Ferner verwies ich auf den Handel mit jenen Lizenzen, die Deutschland, den Beneluxstaaten und Dänemark regelrecht gestohlen wurden und jetzt bei Franzosen, Engländern und Spaniern zu Gewinnen in Zigmillionenhöhe führten, zu Lasten der deutschen Verbraucher. »Wie kann ein Generalanwalt, wenn er nicht politisch, sondern als ehrlicher Jurist urteilt, dann eine Empfehlung abgeben, die die Korruption unterstützt?« fragte ich und appellierte an die Bundesregierung, illegale Machenschaften und korruptes Verhalten zu unterbinden. »Wenn die Bundesregierung solche Empfehlungen wie die vom Generalanwalt ausgesprochene widerspruchslos und ohne Gegenhandlung akzeptiert, würde sie zum Befürworter von Korruption werden. Das will die Regierung wahrlich nicht, also muß sie agieren.« Mit diesem Schreiben hoffte ich, die Bonner Politiker im Superwahljahr endlich an ihre Pflicht zu erinnern, die Interessen der deutschen Wähler zu schützen.

Wahlen zu und für Europa

Am 12. Juni 1994 fanden in Deutschland die Wahlen zum Europaparlament statt. Diese Wahlen hatten für die Bundesrepublik Premierencharakter, denn die Bürger der fünf neuen Bundesländer wählten ebenso zum ersten Mal wie die Berliner. Ich wollte an diesem Sonntag ein Match-Play im Golf-Club Syke spielen und beschloß daher, von meinem Wahlrecht so früh wie möglich Gebrauch zu machen. Noch am Vorabend beriet ich mit meiner Frau Elke, welcher Partei wir unsere Stimmen geben sollten. Eine solche Diskussion war für uns an sich ungewöhnlich, denn die Christdemokraten, deren Partei ich als Mitglied angehöre, hatten unsere Stimmen quasi im Abonnement.

Diesmal aber beschäftigte mich eine besondere Sorge. Angesichts der starken Stimmenverluste der FDP bei den vergangenen Wahlen hegte ich nämlich Zweifel, ob die FDP die notwendige Stimmenzahl erhalten werde, um überhaupt in das Europäische Parlament einzuziehen. Sollte sie es nicht schaffen, würde dies für die zukünftige Politik des Parlaments einen nicht geringen Verlust bedeuten, denn ich hatte das Gefühl, daß keine Partei besser als die FDP den liberalen Bereich und damit auch die Grundsätze des freien Welthandels vertreten könne. Schon im Interesse unseres Bananenproblems wünschte ich mir im Europäischen Parlament, das ich in der Vergangenheit mehrfach heftig kritisiert hatte, mehr Fachkompetenz und mehr Verständnis für die Aufgaben der Wirtschaft und des Handels.

In gutem Glauben entschied ich mich daher, der FDP meine Stimme zu geben. Doch bereits am Abend wußte ich, daß ich sie verschenkt hatte. Die FDP hatte den Einzug ins Europäische Parlament nicht geschafft. Wenige Tage später lag die endgültige Verteilung der Stimmen vor. Danach stellten die Sozialisten 200 der 567 Abgeordneten und bildeten damit den größten Block vor den Christdemokraten mit 148 und den Liberalen mit 44 Sitzen.

Dieses Ergebnis war ganz und gar nicht zufriedenstellend, denn eine sozialistische Mehrheit im Europäischen Parlament würde dem Dirigismus und Protektionismus in Europa Tür und Tor öffnen. Ohne Zweifel mußte ich meinen Optimismus zurückschrauben, daß es je zu einer Modifizierung der Bananenmarktordnung kommen werde. Deutschland würde nun zwar mit 99 Sitzen quantitativ die Spitze unter den zwölf Mitgliedsländern einnehmen vor Frankreich, Großbritannien und Italien mit je 87 Sitzen und Spanien mit 64 Sitzen. Aber wenn die Bundesregierung sich unfähig zeigte, haltbare Absprachen zu treffen, nützte dieser Vorsprung bei der Zahl der Sitze wenig.

Doch noch in einem anderen Land hatten an jenem Sonntag Wahlen stattgefunden. Unser Nachbarland Österreich hatte über seinen Beitritt zur Europäischen Union abgestimmt. Das Ergebnis war überwältigend ausgefallen: 66,4 Prozent der Österreicher hatten mit Ja gestimmt. In dieser Zahl spiegelte sich die enorme Hoffnung wider, die dieses Land in die Europäische Union setzte, eine Hoffnung, die auch ich einst geteilt hatte, die aber mittlerweile bereits schwer erschüttert war.

Eine kleine Hoffnung setzte allerdings auch ich in den Beitritt Österreichs, denn diesem Land konnte ebensowenig wie Deutschland an einer Marktordnung für Bananen gelegen sein. Sollte es also tatsächlich zu einem neuen Gesetzgebungsverfahren kommen, mußten wir uns rechtzeitig darum bemühen, die österreichischen Stimmen für unsere Sache zu gewinnen, um im Rat nun endlich die nötige Sperrminorität auf die Beine zu stellen. Dasselbe galt für Schweden, Finnland und Norwegen, von denen wir wissen, daß sie stärker die Interessenlage der bisherigen freien Märkte vertreten.

Entscheidend ist auch, daß durch den Beitritt dieser Länder die Stimmen im Ministerrat auf 90 hochgesetzt werden und die Sperrminorität dann nicht mehr bei 23 Stimmen, sondern bei 27 Stimmen liegt, also bei nur 4 Stimmen mehr. Sowohl Schweden wie auch Österreich werden im Ministerrat bereits je 4 Stimmen haben. Norwegen und Finnland werden mit je 3 Stimmen vertreten sein. Eine Sperrminorität, um die Anträge der geschützten Märkte Frankreich, England und Spanien zu blockieren, müßte unter diesen Voraussetzungen in Zukunft leicht zu bilden sein.

Ich hatte bereits zu einem frühen Zeitpunkt, als in der Europäischen Union noch die Beitrittsverhandlungen liefen, zu den Vertretern der österreichischen Fruchthandelsgesellschaft *Ahorner* in Wien, einer Tochter der *Bank Austria Handelsgesellschaft,* Kontakt aufgenommen. Unsere Gruppe hält 13 Prozent des dortigen Kapitals, und so besitzen wir einen kleinen Zugriff auf das Unternehmen. *Ahorner* selbst hat über die *Bank Austria Gesellschaft* sogar zu 49 Prozent Zugriff auf die *Fruchtunion*, mit der sie durch ein Joint venture verbunden ist. Ziel meiner Kontaktaufnahme war es, die leitenden Herren auf die zukünftige Problematik vorzubereiten. Sie sollten rechtzeitig Druck auf die österreichische Regierung ausüben, damit diese sich in der Bananenproblematik nicht von Frankreich oder England überrollen ließ.

Voraussetzung dafür, daß der Beitritt Österreichs, Schwedens und Finnlands uns in der Bananenproblematik von Nutzen sein konnte, war jedoch, daß der Europäische Gerichtshof den Organen der Europäischen Union eine Frist für ein neues Gesetzgebungsverfahren setzte. Folgte das Gericht dagegen der Empfehlung Gulmanns, die Klage der Bundesrepublik abzuweisen, dann war die Bananenmarktordnung auch für diese Länder verbindlich.

Das Urteil

Im Sommer 1994 zeigten die Statistiken des Bananenimports und des Bananenhandels deutlich, daß die Auswirkungen der von Brüssel verhängten Importbeschränkungen unübersehbar waren. Um so zuversichtlicher blickte ich dem 5. Oktober 1994 entgegen. An diesem Tag würde der Europäische Gerichtshof in Luxemburg sein Urteil zur Klage der Bundesrepublik Deutschland in Sachen Bananenmarktordnung verkünden.

Die Bananenmarktordnung schnitt so tief in das internationale Handelssystem ein, daß auch die Richter des Europäischen Gerichtshofes davor nicht die Augen verschließen konnten. Als negatives Vorzeichen wertete ich jedoch die Bereitschaft der EU-Kommission, wenige Wochen vor der Verkündung des Urteils die Gesamtimportmenge von 2 Millionen Tonnen auf 2 118 000 Tonnen Bananen zu erhöhen.

In der Tat war der Lizenzverbrauch in den ersten drei Quartalen des Jahres 1994 in ganz Europa so groß, daß für das vierte Quartal mit einer totalen Unterversorgung zu rechnen gewesen wäre. Hinzu kam, daß ausgerechnet im Spätsommer Windbrüche die Produktion auf Martinique und Guadeloupe stark beeinträchtigt hatten. Doch die Bereitschaft der Kommission zur Erhöhung des Kontingents stand wohl weniger im Zusammenhang mit diesen Tatsachen, sondern war eher dahin zu interpretieren, daß man dem Europäischen Gerichtshof signalisieren wollte, wie kompromißbereit man im Ernstfall war. Es handelte sich somit um eine rein politische Entscheidung, um letztlich doch noch ein Urteil zu erzwingen, das die Bananenmarktordnung bestätigte und den Franzosen, Engländern und vielleicht Spaniern weiterhin das Recht und die Möglichkeit gab, die freien Märkte zu kontrollieren.

Meine bösen Ahnungen trogen mich nicht. Um die Mittagsstunde des 5. Oktober 1994 erreichte mich per Fax die Pressemitteilung des Europäischen Gerichtshofes: Die Klage der Bundesrepublik war abgewiesen worden. Dies bedeutete, daß die Bananenmarktordnung in ihrer Fassung vom 1. Juli 1993 weiterhin Gültigkeit hatte. Die Begründung des Urteils war sehr dünn. Die Richter hatten sich wenig Arbeit gemacht und waren einfach dem Gutachten von Generalanwalt Claus Gulmann gefolgt, der dafür plädiert hatte, der Klage nicht stattzugeben.

Die Richter befanden, daß der gemeinschaftliche Gesetzgeber bei der Ausgestaltung der gemeinsamen Agrarpolitik über ein weites Ermessen verfüge. Zweifel an der Rechtmäßigkeit eines Beschlusses könne es nur geben, wenn dieser offensichtlich ungeeignet zur Erreichung seiner Ziele sei oder hinsichtlich seiner praktischen Auswirkungen auf einer offensichtlich irrigen Beurteilung beruhe. Diesen Nachweis habe die Bundesregierung mit ihrem Vorwurf der Unrechtmäßigkeit des Beschlusses nicht erbringen können. Den deutschen Hinweis auf die Verknappung und Verteuerung der Dollarbananen auf dem deutschen Markt ignorierten die Richter damit völlig. Statt dessen erklärten sie, daß die Errichtung einer gemeinsamen EU-Marktorganisation für Bananen, die an die Stelle der bis 1993 gültigen unterschiedlichen Zoll- und Einfuhrregeln trete, zwangsläufig mit einer generellen Anpassung der Preise in der Gemeinschaft insgesamt einhergehe. Zugleich verwiesen sie darauf, daß die zunächst auf jährlich 2 Millionen Tonnen festgelegte Einfuhrmenge für Dollarbananen zur Sicherung der Versorgung angepaßt werden könne.

Für mich bestand nach diesem Satz kein Zweifel: Das Signal der EU-Kommission war angekommen. Wieder einmal hatten die Franzosen, Engländer und Spanier den Sieg davongetragen. Die Bundesrepublik Deutschland dagegen hatte mit Pauken und Trompeten verloren und mit ihr der freie Welthandel und die freie Marktwirtschaft.

Die Europäische Union durfte weiter in die Eigentumsrechte der bisherigen Importeure und der anderen am Bananenhandel Beteiligten eingreifen. Der freie Wettbewerb sollte ausgeschaltet bleiben, und der künstlich geschaffene Wettbewerb zu Lasten der deutschen Händler wurde durch das Urteil sanktioniert. Die Richter erklärten in der Begründung ihres Urteils, daß es sich hier möglicherweise um einen Eingriff in Eigentumsrechte handle, betonten aber gleichzeitig, daß solche Einschränkungen dann gestattet werden könnten, wenn sie für die Gemeinschaft dienlich seien.

Die Bundesregierung wollte sich laut Aussage von Wirtschaftsminister Günter Rexrodt nach der Entscheidung des Europäischen Gerichtshofes nicht davon abhalten lassen, »weiter gegen die Unzulänglichkeiten und Ungerechtigkeiten des Einfuhrregimes vorzugehen«. Nach gründlicher Analyse des Urteils werde sie umgehend über weitere Schritte beziehungsweise rechtliche Maßnahmen gegen die Marktordnung entscheiden. Diese klaren Worte machten mir Mut.

Hatte es auch in der Vergangenheit bisweilen an Entschiedenheit gefehlt, schien die Bundesregierung nun endlich einen klaren Kurs in Richtung Handelsfreiheit zu verfolgen. Vor wenigen Wochen hatte sie auch bereits ein zusätzliches Verfahren beim Europäischen Gerichtshof zur Überprüfung der Rechtmäßigkeit des Abkommens zwischen der EU-Kommission und den vier lateinamerikanischen Staaten Costa Rica, Kolumbien, Nicaragua und Venezuela anhängig gemacht. Dieses Verfahren würde die Bundesregierung weiterführen.

Auch ich werde das Urteil des Europäischen Gerichtshofes nicht einfach hinnehmen. Zunächst werden wir eine weitere Klage gegen die Bundesregierung formulieren, damit sie uns zusätzliche Importmengen verschaffe, und dann werden wir vor das Verfassungsgericht in Karlsruhe gehen, um feststellen zu lassen, ob das Urteil nicht insgesamt gegen das Grundgesetz verstößt. Ferner ist immer noch unsere Schadenersatzklage anhängig. Eine weitere Anhörung in dieser Angelegenheit soll am 5. November 1995 vor dem Europäischen Gerichtshof in Luxemburg stattfinden.

Die Zukunft Europas

Noch waren die weltweiten Folgen des Urteils des Europäischen Gerichtshofes nicht abschätzbar. Die Vereinigten Staaten allerdings wollten es nicht länger hinnehmen, daß die strengen Einfuhrbeschränkungen für Bananen aus Süd- und Mittelamerika die US-Exporteure zur Aufgabe ihrer Machtposition zwingen. Damit drohte der Bananenstreit zwischen mittel- und südamerikanischen Staaten, ihren Großvermarktern aus den USA und der Europäischen Union zu eskalieren.

Am 2. September 1994 bereits hatten laut Presseberichten die *Chiquita Brands International*, Cincinnati/Ohio, und die Hawaii-Bananen-Industrie-Assoziation beim US-Handelsbeauftragten beantragt, die von Brüssel erlassenen Handelsbeschränkungen für Bananen aus Mittel- und Südamerika als »diskriminierend«, »unbillig« und »unzumutbar« zu qualifizieren. Der Handelsbeauftragte solle ein Verfahren nach Artikel 301 des amerikanischen Handelsgesetzes von 1974 einleiten. Nach dem skandalösen Urteil des Europäischen Gerichtshofes wurde dem Antrag nun offenbar stattgegeben. Auf einer Konferenz internationaler Bananenproduzenten in Santa Cruz wurde bekannt, daß die Vereinigten Staaten als Reaktion auf die Behinderung amerikanischer Bananenkäufe nun Strafzölle auf bestimmte Agrarprodukte aus Europa vorbereiteten.

Ich begrüßte diese Entwicklung. Schließlich hatten die US-Unternehmen seit der Brüsseler Bananenentscheidung einen massiven Einbruch ihres Marktanteils hinnehmen müssen. Außerdem enthielt das europäische Bananen-Lizenzsystem tatsächlich diskriminierende Elemente gegenüber Drittlands-Importeuren zum Vorteil von EU-Unternehmen. Wenn sich die Vereinigten Staaten nun darum bemühen wollten, daß hier wieder Gerechtigkeit eintrat, würde dies dem gesamten Bananenhandel zugute kommen. Der US-Handelsbeauftragte hätte damit nicht zum ersten Mal seit seinem Amtsantritt im Januar 1993 bewiesen, daß er Interessen heimischer Unternehmen durchaus zu wahren gewillt war.

Die größten Verlierer der Bananenmarktordnung und damit auch des Urteils aber waren die Länder Lateinamerikas. Die Auswirkungen der Einfuhrbeschränkungen auf die wirtschaftliche und soziale Lage der Länder waren schlicht katastrophal. Ganze Volkswirtschaften wurden zerrüttet. Da in diesen Staaten kaum Alternativen zu den vergleichsweise hohen Wertschöpfungen und zum großen Beschäftigungspotential im arbeitsintensiven Bananenanbau bestehen und auch eine weitere Diversifizierung der landwirtschaftlichen Produktion nicht möglich ist, steigt die Arbeitslosigkeit.

Wollen wir wirklich ein vereintes Europa, das den armen Ländern der Welt die Lebensgrundlage entzieht? Was ist davon zu halten, wenn Brüssel den Marokkanern anbietet, von 1997 an ihre Fruchtimporte in die Europäische Union um 3 Prozent auszudehnen, und als Gegenleistung dafür ein Eingangspreissystem verlangt? Oder wenn die bestehenden Schutzmaßnahmen bei der Einfuhr von Knoblauch aus Vietnam, Taiwan und China weiter verschärft werden? Wie lassen sich solche Maßnahmen in Einklang bringen mit den schönen Reden von einem geeinten und freien Europa, und wie nehmen sie sich aus vor dem Hintergrund der Bewerbung Bonns als Sitz der zukünftigen Welthandelsorganisation (WTO), der Nachfolgeorganisation des GATT?

Das Urteil des Europäischen Gerichtshofes sanktionierte die Verstöße gegen die Regelungen des GATT/WTO, auf die sich die Weltgemeinschaft mit der Unterzeichnung des neuen GATT/WTO-Abkommens erst in diesem Jahr geeinigt hatte.

Eine Hoffnung für die lateinamerikanischen Länder könnte allerdings in der Erwirkung eines neuen GATT/WTO-Schiedsspruchs bestehen, denn das GATT hatte bereits im Januar 1994 die Unvereinbarkeit der Bananenmarktordnung mit dem geltenden GATT-Recht festgestellt. Ein neuerlicher GATT/WTO-Spruch wäre dann gemäß der neuen Regelung, die ab 1. Januar 1995 gelten soll, verbindlich. Das heißt, die Europäische Union müßte einen dritten Schiedsspruch auch gegen sich gelten lassen. Andernfalls dürften die anderen GATT/WTO-Mitglieder, zum Beispiel die USA, Handelssanktionen gegen sie verhängen.

Erfreulicherweise schien das Abkommen der EU-Kommission mit den vier lateinamerikanischen Staaten, das diese von einer neuerlichen Einberufung eines GATT/WTO-Panels abhalten sollte, nun doch keine Bedeutung zu erlangen. Das Abkommen hätte am 1. Oktober 1994 in Kraft treten sollen. Da es aber vom Europäischen Rat noch offiziell beschlossen werden mußte, hatte dieser Termin nicht eingehalten werden können. Costa Rica und einige andere lateinamerikanische Staaten erklärten daher, daß sie das Abkommen nicht als erfüllt ansähen. Die Ablehnung dieses in jeder Weise diskriminierenden Abkommens durch die lateinamerikanischen Staaten würde im Kampf gegen die Bananenmarktordnung bereits einen großen Fortschritt bedeuten.

Große Hoffnung setzte ich auf Guatemala. Vielleicht zeigte sich dieses Land bereit, ein neues GATT/WTO-Panel zu erwirken. Leicht würde ein solcher Schritt für das Land gewiß nicht sein, denn Guatemala hatte sich Anfang Mai 1994 bei der EU-Kommission um Beihilfen beworben. Es bestand daher die Gefahr, daß die Kommission versuchen würde, Guatemala durch Beihilfsgeschenke zu einem Einlenken bei den Bananen zu bewegen. Unterdessen aber war auch von Ecuador, das Mitglied der WTO werden möchte, die Absicht geäußert worden, das Exportregime der Marktordnung vor die neue Welthandelsorganisation zu bringen.

Längst ist die von der EU-Kommission beschlossene Bananenmarktordnung keine rein europäische Angelegenheit mehr, sondern wie alle Eingriffe in das freie Handelssystem ziehen ihre Auswirkungen immer weitere Kreise und beeinträchtigen schließlich das gesamte Welthandelssystem.

In Sonntagsreden klagen wir immer wieder über die Armut der Dritten Welt. Entwicklungskonzepte werden entworfen und Spendenaktionen gestartet. Von weltweiter Solidarität ist die Rede und von Hilfsmaßnahmen für die ärmsten Länder der Welt. Übergangen aber wird dabei die Tatsache, daß von allen erdenklichen Maßnahmen die Öffnung der Märkte die wirksamste Form der Entwicklungshilfe darstellt. Nach Schätzungen der Weltbank sind die jährlichen Einnahmeverluste der Entwicklungsländer durch den Protektionismus der Industrieländer doppelt so hoch wie die weltweit geleistete offizielle Entwicklungshilfe pro Jahr.

Angesichts dieser Zahlen müssen alle Anstrengungen, deren die Europäische Union sich im Rahmen ihrer Entwicklungshilfe rühmt, wie Hohn erscheinen. Dasselbe gilt im Hinblick auf die Länder Osteuropas. Von Hilfe beim Aufbau der Wirtschaft wird gesprochen, aber durch protektionistische Maßnahmen wird der Wirtschaftsaufbau aus eigener Kraft verhindert.

Ich denke, wir sollten uns endlich Klarheit darüber verschaffen, was für ein Europa wir wollen. Wenn nämlich Europa wirklich frei sein soll, dann darf es auch nach außen keine Handelsbeschränkungen geben. Zollschranken müssen beseitigt und Wettbewerbsbeschränkungen abgebaut werden. Nicht im Aufbau einer Festung kann die Zukunft Europas liegen, sondern nur in einem großen freien Wirtschaftsraum von Lissabon bis Wladiwostok. Das ist meine Vision von einem künftigen Europa, und ich werde mich auch weiterhin dafür einsetzen, daß diese Vision Wirklichkeit wird.

Register

Der Autor

Bernd-Artin Wessels, geb. 1941, wurde 1981 persönlich haftender Gesellschafter der Scipio-Gruppe in Bremen. 1987 gründete er zur Wahrnehmung der Aktivitäten der Gruppe die Atlanta Aktiengesellschaft, u. a. die größte Bananendistributionsfirma der Welt, deren Vorstandsvorsitzender er ist. Wessels gehört zahlreichen Beiräten und Aufsichtsräten im In- und Ausland an sowie dem Vorstand der Deutschen Außenhandels- und Verkehrsakademie, dem Kuratorium der Akademie der Wirtschaft in Bremen, dem Vorstand des Ost- und Mitteleuropa-Vereins und vertritt als Honorarkonsul von Ecuador das Land mit den größten Bananenexporten.